交际汉语

1

CHINA CENTRAL TELEVISION CCTV 9
中国中央电视台英语频道 编

POPULAR SCIENCE PRESS
科学普及出版社
BEIJING
· 北 京 ·

图书在版编目(CIP)数据

交际汉语 1/ 中国中央电视台英语频道编. —北京：科学普及出版社，2003.8

ISBN 7-110-05535-3

Ⅰ.交… Ⅱ.中… Ⅲ.汉语－口语－对外汉语教学－教材 Ⅳ.H195.4

中国版本图书馆 CIP 数据核字（2003）第 056892 号

科学普及出版社出版

北京市海淀区中关村南大街 16 号 邮政编码：100081

电话：62103206 传真：62183872

Popular Science Press

16 Zhongguancun Nandajie

Haidian, Beijing 100081

Tel:62103206 Fax:62183872

E-mail:pspress @sina.com

新华书店北京发行所发行 各地新华书店经售

中央民族大学印刷厂印刷

*

开本：889 毫米 × 1194 毫米 1/32 印张：7 字数：180 千字

2003 年 8 月第 1 版 2005 年 1 月第 2 次印刷

印数:10 001－20 000 册 定价：32.00 元

Consultant: Zhang Changming
顾　问：张长明

Programme Designers: Sheng Yilai　Jiang Heping
总策划：盛亦来　江和平

Chief Editors: Ye Lulu　Yu Suqiu　Lai Yunhe
主　编：野露露　于素秋　来云鹤

Translators:【Australia】Cheng Lei　Han Qiuhong
翻　译：【澳】成　蕾　韩秋红

Examiner: Ye Lulu
审　定：野露露

Executive Editors: Xiao Ye　Shan Ting
责任编辑：肖　叶　单　亭

Cover Design: Chen Tong
封面设计：陈　同

Proofreader: Wang Qinjie
责任校对：王勤杰

Print Produdion: An Liping
责任印制：安利平

Legal Adviser: Song Runjun
法律顾问：宋润君

随着中国的改革开放，中国与世界各国的交往日益密切，汉语在世界上的影响和使用范围亦日益扩大。汉语正成为许多国家同中国发展友好合作关系、开展经济贸易活动、进行科技文化交流、增进友谊和了解的重要工具和桥梁。

中央电视台历来重视对外汉语教学节目，曾针对不同年龄、不同职业的人们制作了不同形式的系列电视对外汉语教学节目。为那些没有机会在课堂上或来中国学习的外国人创造了一种学习汉语的机会，同时，也帮助他们获得了一种直接了解中国的能力。

为方便国内外电视观众学习《交际汉语》电视系列教学节目，我们将电视节目整理成教材并配套制作了录音带和VCD光盘，供观众复习和反复学习之用。

《交际汉语》教材共设40课(40个话题)，分四册出版发行。该教材每册10课，其中1课为复习课。每课内容主要以口语为主，通过人物的日常活动设置情景对话，反映一定的语言环境，使学习者通过汉语口语的学习，逐步掌握汉语日常交际表达能力并对汉语逐步产生兴趣。

《交际汉语》教材把日常生活用语分成若干个话题，每课学习一个话题，并针

China's reform and opening up process has not only spurred on its interactions with the rest of the world, but also expanded the role of the Chinese language in the world. Chinese has become the key tool and bridge between China and other countries in developing friendly relations, conducting business and trade activities, making exchanges in culture and technology, as well as boosting mutual understanding.

For a number of years, China Central Television has placed high importance on bringing Chinese teaching programs to overseas viewers, it has produced a series of Chinese teaching programs tailored for learners of different age groups and different needs. For overseas viewers, this is a convenient alternative to classroom learning or coming to China to study, at the same time, it offers them a direct window on understanding China.

To facilitate viewers of both home and abroad in learning the language from the "Communicate in Chinese" teaching program, we have compiled a set of texts from the show and also produced audio Cassettes and VCDs that will allow repeated viewings and studies.

The "Communicate in Chinese" texts have 40 scenarios (40 topics) in total, published as a set of four books, each book comprises ten lessons, the last one being a revision lesson. The teaching materials concentrate on spoken Chinese, through the characters' daily activities as presented in the situational dialogues, language context is reflected and students will find their interest grow as they gradually grasp the ability

对该话题设有情景对话、生词、常用语句、文化背景知识、语言点、注释、替换练习等，力图将理解和使用结合起来。为使国内外电视观众和学习者能较快地掌握所学内容，达到与中国人进行简单交际的目的，我们在电视节目中将每课分三集讲授，每课的前两集以讲解对话为主，并配有文化背景知识和语言点的解释；第三集以复习为主，反复播放情景对话，并配有常用语句和替换练习，充分体现以对话为主，以练习为辅的原则，力求使观众通过观看电视节目和教材的学习，掌握汉语日常生活交际的基本用语。

为帮助初学者理解汉语对话的内涵，尽快掌握汉语的交际能力，我们充分发挥电视的优势，精心制作情景对话并在电视画面上配有生词和常用语句的拼音、汉字和英文字幕，使观众学什么就能看到什么，创造语言环境，力求加深印象。我们聘请中国人民大学教授于素秋撰写部分教材，澳大利亚籍英文专家成蕾女士为该教材作了翻译。我们还特邀加拿大籍著名电视节目主持人大山(Mark Rowswell)担任《交际汉语》电视教学节目的主持人。对他们的奉献，我们表示衷心的感谢。

中国中央电视台英语频道

2003 年 7 月

to communicate in Chinese.

The text has split up expressions that are used in daily life into several topics, each lesson focuses on some of the expressions on the topic, with situational dialogues, new words, common expressions, cultural background, language points, notes, substitutional drills, this integrates comprehension with practical usage. To speed up the learning process for TV viewers and learners so that they can communicate with Chinese people in simple situations, each lesson has been divided into three parts, the first two parts mainly explain the dialogue and include explanations of the cultural background and language points, while the third part is for revision and contains substitutional drills of common expressions. It can be seen that dialogue is given a primary role while exercises complement the learning of conversations. This set of teaching materials and television program aims to allow viewers to become adept at using Chinese to communicate in daily life.

In order to assist beginners gain an innate understanding of dialogues in Chinese and quickly gain communication skills, we made full use of the television medium, to produce situational dialogues and provide pinyin, Chinese and English subtitles onscreen for the new vocabulary and common expressions, so that what viewers see, they can learn, it cultivates a language environment and leaves a lasting impression. We asked Professor Yu Suqiu from the Renmin University of China to write parts of the text, while Ms. Cheng Lei, an Australian-Chinese English consultant translated the text and we invited Mark Rowswell, the Canadian presenter who is a household name in Chinese TV due to his bi-lingual skills, to host the "Communicate in Chinese" program. We express our sincere gratitude for their work.

July, 2003

目 录

CONTENTS

dì yī kè wèn hòu
第一课 问候

huì huà
会话

Good morning, Manager Liu.
交际汉语

A

qīng chén liú míng zǒu jìn bàn gōng shì
(清晨，刘明 走进办公室。)

zhí yuán yī zǎo shang hǎo liú jīng lǐ
职员1：早上好，刘经理。

liú míng ō nǐ hǎo xiǎo zhāng
刘明：噢，你好，小张。

zhí yuán èr nín hǎo liú jīng lǐ
职员2：您好！刘经理。

liú míng zǎo shang hǎo xiǎo lǐ
刘明：早上好！小李。

LESSON ONE
Greetings

Dialogue

(Morning, Liu Ming walks into the office.)

Employee 1: Good morning, Manager Liu.

Liu Ming: Oh, hello, Xiao Zhang.

Employee 2: Hello, Manager Liu.

Liu Ming: Good morning, Xiao Li.

B

zhōng wǔ xiǎo jiāng hé lǐ lǎo shī zài xiào yuán xiāng yù
(中午，小江和李老师在校园相遇。)

xiǎo jiāng lǐ lǎo shī xià bān la
小　江：李老师，下班啦？

lǐ lǎo shī tuī zì xíng chē ō xiǎo jiāng nǐ hǎo ma
李老师：(推自行车)噢，小江，你好吗？

chī fàn le ma
吃饭了吗？

xiǎo jiāng wǒ hěn hǎo hái méi chī ne lǐ lǎo shī zuì
小　江：我很好，还没吃呢！李老师，最

jìn máng ma
近忙吗？

lǐ lǎo shī hái hǎo bú tài máng nǐ yào qù nǎr
李老师：还好，不太忙。你要去哪(儿)，

xiǎo jiāng
小江？

xiǎo jiāng wǒ qù mǎi fāng biàn miàn shí táng de fàn
小　江：我去买方便面。食堂的饭……

ài
唉……

I'm going to buy some instant noodles.

lǐ lǎo shī wǒ men yì qǐ zǒu ba
李老师：我们一起走吧！

xué shēng lǎo shī hǎo
学　生：老师好！

lǐ lǎo shī nǐ men hǎo
李老师：你们好！

B

(At midday, Xiao Jiang and Teacher Li meet in the school grounds.)

Xiao Jiang: Teacher Li, have you finished work?

Teacher Li: *(pushing bicycle along)*Oh, Xiao Jiang, how are you? Have you eaten yet?

Xiao Jiang: I'm pretty good, I haven't eaten yet! Teacher Li, have you been busy lately?

Teacher Li: It's been fine, not that busy. Where are you going, Xiao Jiang?

Xiao Jiang: I'm going to buy some instant noodles. The canteen food...ugh...

Teacher Li: Let's go together!

Students: Hello teacher!

Teacher Li: Hello!

C

xià wǔ　xiǎo jiāng zài xiào yuán lù shang yǔ tóng xué jiàn miàn
（下午，小江在校园路上与同学见面。）

xiǎo jiāng　nǐ hǎo
小江：你好！

tóng xué　xiǎo jiāng　zuì jìn máng ma
同学：小江，最近忙吗？

xiǎo jiāng　máng　máng　tài máng le
小江：忙，忙，太忙了！

tóng xué　shì a　wǒ yě hěn máng
同学：是啊，我也很忙，

gāi kǎo shì le
该考试了。

C

(Afternoon, Xiao Jiang and a classmate meet in the school grounds.)

Xiao Jiang: Hello!

Classmate: Hi, Xiao Jiang, been busy lately?

Xiao Jiang: Busy, busy, too busy!

Classmate: Yes, I'm pretty busy, too. It's exam time soon.

cháng yòng yǔ jù
常用语句

nǐ hǎo 你好！	xià wǔ hǎo 下午好！
nín hǎo 您好！	xià bān la 下班啦？
nǐ hǎo ma 你好吗？	chī fàn le ma 吃饭了吗？
nín hǎo ma 您好吗？	zuì jìn máng ma 最近 忙 吗？
lǎo shī hǎo 老师好！	bú tài máng 不太 忙。
tóng xué men hǎo 同 学们好！	hěn máng 很 忙。
zǎo shang hǎo 早 上 好！	tài máng le 太 忙 了！

shēng cí
生词

nǐ 你	wǒ men 我 们	máng 忙
hǎo 好	hěn 很	jīng lǐ 经理
nín 您	tóng xué 同 学	zuì jìn 最近
wǒ 我	lǎo shī 老师	mǎi 买
nǐ men 你们	tài 太	fāng biàn miàn 方 便 面

Common Expressions

Hello!	Good afternoon!
Hello!	Have you finished work?
How are you?	Have you eaten yet?
How are you?	Have you been busy lately?
Hello teacher!	Not too busy.
Hello students!	Very busy.
Good morning!	Too busy!

Vocabulary

you	we	busy
good	very	manager
you	classmate	lately, recently
I	teacher	buy
You(plural)	too	instant noodles

kǎo shì 考试	lǐ 李	yào 要
shí táng 食堂	zhāng 张	qù 去
fàn 饭	xià bān 下班	nǎr 哪(儿)
yì qǐ 一起	hái 还	wén jiàn 文件
zǒu 走	méi 没	kàn 看

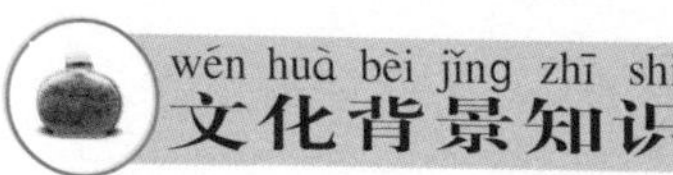

wén huà bèi jǐng zhī shi
文化背景知识

问候的学问

问候是人们见面时表示互相关心而使用的礼仪性词句。

在中国，人们见面时所使用的较为正式的问候语句与世界各地相同，如：“您好！”“很高兴和您认识。”迎接某人的到来时所要表达的方式和问候是“欢迎，欢迎。”

exam, test	Li	want
canteen, refectory	Zhang	go
meal	finish work	where
together	yet	document
go	not	look

Cultural Background

The Art of Greetings

The Art of Greetings are commonly used polite expressions to show care for each other when people meet.

In China, when you first meet someone, it is common to use formal greetings such as "Hello!" "Pleased to meet you." just like anywhere else in the world. "Hello" is simply "你好!" "您好" is the polite form. "你好吗?" is a question: "How are you?""How do you do?" or to be more polite we can say: "您好吗?" "欢迎,欢迎." is an expression of welcome.

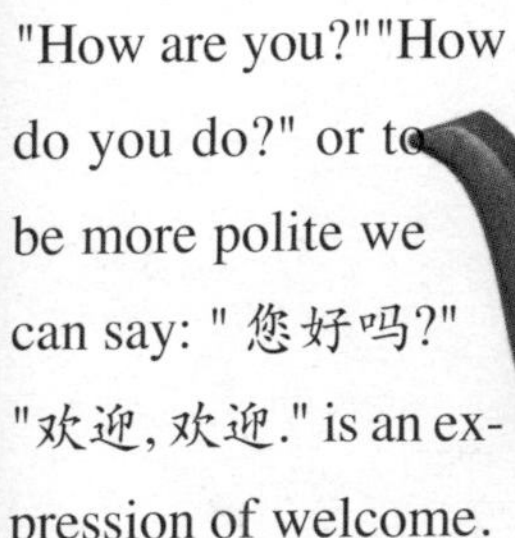

朋友之间见面问候较为随意，一般喜欢询问对方一些生活和工作方面的情况，以表示关心和爱护。如："您好吗？"、"下班了？"、"最近忙吗？"、"好久不见身体好吗？"、"路上顺利吗？""工作忙吗？"等等。

彼此较为熟悉的人见面时会直截了当地问一些在西方人看来似乎见面问候时根本不会提出的问题，如："上哪儿去？"，实际上，问话人并不想打扰或干涉对方的私事。而被问话的人可以不必立即回答对方的提问，或可以简单地回答说："我出去走走。"

久别重逢的朋友，见面时互相询问身体、工作、家庭、孩子等，以示关心，回答问候时可简而言之。如："挺好的"、"还好"或"谢谢"等。

在中国，有一种问候较为特别，那就是在中国人过春节时或过新年时，人们之间彼此问候会说："过年好！"意思是"新年好！"

When friends meet, greetings are more casual, it's usual to inquire after others' work and life, to show care and affection. For example, "How are you?""Finished work?""Been busy lately?" "Long time no see, have you been well?" "Was the traffic alright?""Has work been busy?" etc.

In China, when people who are more familiar with each other meet, they might ask a vertical question which might seem strange to a foreign visitor or a westerner. For instance, someone might ask you" 上哪儿去?""Where are you going? "when they do not mean to enquire about your specific plans, so answers don't have to be specific. You could say " 我出去走一走 ""I am going out for a walk."

For friends who meet after a long absence, each will ask after the other's health, work, family, children and so on, to demonstrate concern and affection, replies to these greetings can be simple, such as"pretty good" , "not bad"or "thank you".

One greeting that is very special in China, and that comes during a holiday season of" 春节 "or Spring Festival, Chinese New Year. It accompanies a special gesture like and it is: " 过年好! "which means "Happy new year!"

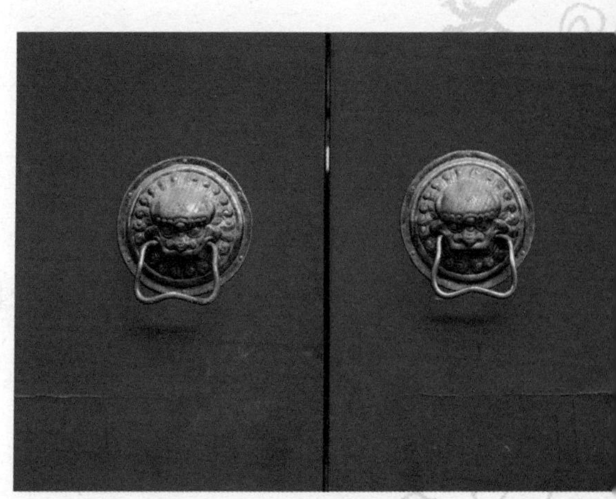

yǔ yán diǎn 语言点

1 *“太忙了”*

太：副词，表示程度很深。

2 *“我们一起吃饭吧！”*

“吧”，语气助词，用于句尾。

句中的“吧”表示请求、建议，有商量的语气。也可以表示命令、催促等。

例如：快点儿走吧！

我们一起玩儿吧！

3 *“该考试了。”*

“该”助动词，表示应当做什么事了。

4 *“下班了？”*

“下”在这里是动词。表示到规定时间结束工作或学习。“了”助词。用在动词或形容词后面，表示动作或变化已经完成。用在句子的末尾或句子中间停顿

Language Points

1 "太忙了"—"*too busy*", the"太" is an adverb, to show great extent.

2 "我们一起吃饭吧！"—"*Let's eat together!*" In which the "吧"at the end is an auxiliary giving stress to the tone.

The"吧" in the sentence gives the tone of request, suggestion or negotiation. It can also make the sentence a command or to urge, hasten someone.

For example:

"快点儿走吧！""Get a move on!"

"我们一起玩儿吧！""Let's have fun together!"

3 "该考试了.""*It should be exam time soon.*" The"该"is an auxiliary verb, means that something should be done or should happen.

4 "下班了?""*Finished work?*" The "下"is a verb here and denotes the ending of work or study upon a scheduled time. The "了" is an auxiliary used following verbs or adjectives, to mean the action or change has taken place already.

Used at the end of a sentence or before a break in the sentence, it denotes change or the occurrence of a new condition.

的地方，表示变化或出现新的情况。

5 *“你好吗？”*

“吗”字放在句尾表示疑问，这是汉语里最常见的一种疑问句。

6 *“我很好”*，回答别人的问候时，应当说“我很好”而不说“我好”或“很好我”。“很”在句子中并不真正表示程度。

7 *“们”*，可以用来表示复数，

例如：我—我们

你—你们

他 / 她—他们(她们)。

zhù shì
注释

1 “你好”这是汉语里常用的一种问候语。早晨、中午、晚上见面时都可以说，对方回答也是“你好”。

2 “您”意思同“你”，含敬意。常用作称呼长辈或尊敬的人。

5 " 你好吗? " — "*How are you?*", the" 吗 " is placed at the end of the sentence to make it a question,this is the most common questioning sentence structure in Chinese.

6 " 我很好 " — "*I am very well.*"Usually when replying to others' greetings, use" 我很好 "but not" 我好 " or " 很好我 ". " 很 "or"very"doesn't really represent the extent of one's well being in this phrase.

7 " 们 ", can be used to make plurals,
For example: I — we, you — you(pl.),
he/she — they.

Explanatory Notes

1 " 你好 "is a common Chinese greeting used for meeting people at morning, noon or night, the reply is usually also " 你好 ".

2 " 您 " means the same as " 你 ", it is a polite form that denotes respect for elders or people of stature.

3 中国人的姓名是姓在前，名在后。大多数的姓为单姓，用一个汉字来表示，名字既有一个汉字的，也有两个汉字的。

4 汉语里有四个声调，依次叫阴平、阳平、上声、去声，通常也叫第一声、第二声、第三声、第四声，声调不同，词的意思也不同。

如：憨 hān 寒 hán 喊 hǎn 旱 hàn。

5 在汉语词汇中如有两个三声字相连，前面的一个字要读第二声。

如：你好 nǐhǎo，要读成 níhǎo。

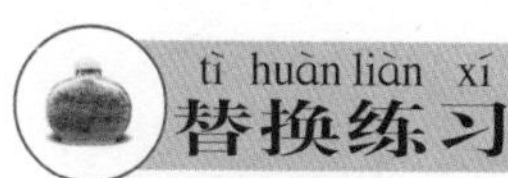

tì huàn liàn xí
替换练习

xià bān la
下班啦？

xià xué la
下学啦？

xià dì la
下地啦？

xià chē la
下车啦？

3 Chinese names have the surname at the front and then the first name. Most surnames are single-character, but the first name could consist of two words or just one.

4 There are four tones in Chinese, called 阴平, 阳平, 上声, 去声, or referred to as first, second, third, fourth tones, different tones mean different words. For example: 憨 hān 寒 hán 喊 hǎn 旱 hàn.

5 Where in a word two third tones are together, the first character should be pronounced in the second tone. For example, "nǐ hǎo" should read "ní hǎo".

Substitutional Drills

Finished work?

Finished school?

Off the ground?

Getting off the car/bus?

wǒ men yì qǐ zǒu ba
我们一起走吧！

wǒ men yì qǐ chī fàn ba
我们一起吃饭吧！

wǒ men yì qǐ wánr ba
我们一起玩(儿)吧！

wǒ men yì qǐ qù ba
我们一起去吧！

wǒ men yì qǐ chàng gēr ba
我们一起唱歌(儿)吧！

gāi kǎo shì le
该考试了！

gāi chī fàn le
该吃饭了！

gāi shuì jiào le
该睡觉了！

gāi qǐ chuáng le
该起床了！

gāi shàng bān le
该上班了！

tài máng le
太忙了！

tài rè le
太热了！

tài lěng le
太冷了！

tài bàng le
太棒了！

tài kù le
太酷了！

Let's go together!

Let's have a meal together!

Let's have fun together!

Let's go there together!

Let's sing together!

It's time for exams!

It's time to eat!

It's time for bed!

It's time to get up!

It's time to go to work!

oo busy!

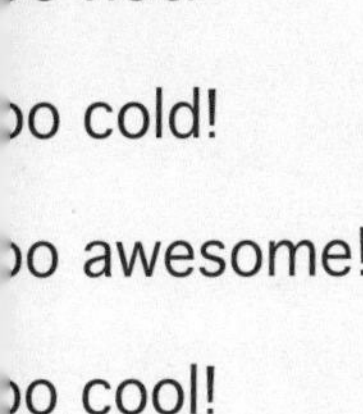

oo hot!

oo cold!

oo awesome!

oo cool!

dì èr kè jiè shào
第二课 介绍

huì huà
会话

A

zài huì yì dà tīng
（在会议大厅。）

liú míng zǒu xiàng yì míng huì yì dài biǎo
（刘明走向一名会议代表。）

This is my business card.

liú míng nín hǎo wǒ shì liú míng
刘明：您好！我是刘明。

dì míng piàn zhè shì wǒ de míng piàn
（递名片）这是我的名片。

jiǎ nín jiù shì liú míng a nín hǎo jiàn dào nín hěn gāo xìng
甲：您就是刘明啊！您好！见到您很高兴。

liú míng nín guì xìng
刘明：您贵姓？

jiǎ miǎn guì xìng zhāng wǒ jiào zhāng xiǎo fēng
甲：免贵姓张。我叫张小锋。

liú míng nín hǎo zhāng xiān sheng
刘明：您好，张先生。

jiǎ jiù jiào wǒ xiǎo fēng ba zǒu chū
甲：就叫我小锋吧。（走出）

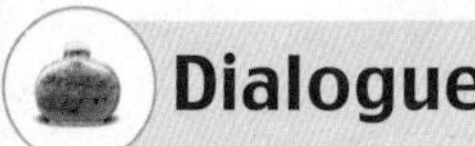

LESSON TWO
Introductions

Dialogue

A

(In the conference hall.)

(Liu Ming walks towards a conference delegate.)

Liu Ming: Hello! I'm Liu Ming. *(hands over business card)* This is my business card.

A : So you're Liu Ming! How do you do? I'm very pleased to meet you.

Liu Ming: What's your surname?

A : My surname is Zhang. My name is Zhang Xiaofeng.

Liu Ming: How do you do, Mr. Zhang!

A: Just call me Xiaofeng. *(walks out)*

B

zài gōng yuán
(在公园。)

liú míng　lǎo wáng　nǐ hǎo
刘明：老王，你好！

wáng　liú míng　nǐ hǎo　nǐ hǎo
王：刘明，你好，你好！

liú míng　tuì xiū hòu hái hǎo ma
刘明：退休后还好吗？

wáng　hái hǎo　hái hǎo　nǐ ne
王：还好，还好！你呢？

liú míng　tǐng hǎo de　lǎo wáng　zhè shì shuí　nǐ sūn zi ma
刘明：挺好的。老王，这是谁？你孙子吗？

wáng　bù　zhè shì wǒ de wài sūnr　duì wài sūnr
王：不，这是我的外孙(儿)。(对外孙(儿)

shuō　zhè shì liú shū shu
说)这是刘叔叔。

wài sūnr　liú shū shu hǎo
外孙(儿)：刘叔叔好！

liú míng　nǐ hǎo
刘明：你好。

B

(In the park.)

Liu Ming: Hello, Lao Wang!

Wang : Liu Ming, hello, hello!

Liu Ming: Have you been well since your retirement?

Wang : Pretty good, pretty good! What about you?

Liu Ming: Quite good. Lao Wang, who is he? Is this your grandson?

Wang : This is my daughter's son. *(says to grandson)* This is uncle Liu.

Grandson: Hello uncle Liu!

Liu Ming: Hello.

liú míng yì jiā rén zài fàn diàn chī fàn
(刘明一家人在饭店吃饭。)

xiǎo jiāng zǒu jìn lǐ lǎo shī nǐ hǎo
小江:(走近)李老师,你好!

lǐ hóng xiǎojiāng jīng qí de nǐ hǎo lái xiǎo jiāng
李红:小江,(惊奇地)你好!来,小江,

ràng wǒ lái jiè shào yí xiàr zhè shì wǒ xiān
让我来介绍一下(儿)。这是我先

sheng liú míng
生,刘明。

liú míng zhè shì wǒ de xué sheng xiǎo jiāng
刘明,这是我的学生,小江。

liú míng nǐ hǎo
刘明:你好。

xiǎo jiāng nǐ hǎo
小江:你好。

C

(Liu Ming is eating at a restaurant with his family.)

Xiao Jiang: *(walks closer)* Hello, Teacher Li!

Li Hong: Xiao Jiang, *(surprised)* hello! Come on, Xiao Jiang, let me introduce. This is my husband, Liu Ming. Liu Ming, this is my student, Xiao Jiang.

Liu Ming: How do you do.

Xiao Jiang: How do you do.

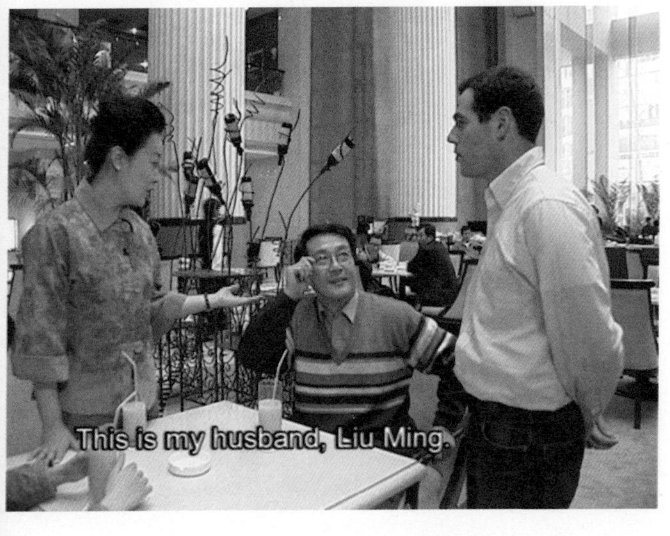

Liu Ming, this is my student, Xiao Jiang.

lǐ hóng xiǎo jiāng zhè shì wǒ de nǚ ér lán lan
李 红：小 江，这是我的女儿，兰兰。

xiǎo jiāng nǐ hǎo lán lan
小 江：你好，兰兰。

lán lan xiǎo jiāng nǐ hǎo hēi hēi xiào
兰 兰：小 江，你好。（嘿嘿笑）

lǐ hóng xiǎo jiāng yì qǐ chī ba
李 红：小 江，一起吃吧！

xiǎo jiāng bù le lǐ lǎo shī wǒ de nǚ péng you zhǐ
小 江：不了，李老师。我的女朋友（指……）

lǐ hóng nǎ wèi shì nǐ de nǚ péng you
李 红：哪位是你的女朋友？

xiǎo jiāng zhǐ nà ge gāo gèr de tā jiào xiǎo yàn
小 江：（指）那个高个（儿）的，她叫小燕。

Li Hong: Xiao Jiang, this is my daughter, Lan Lan.

Xiao Jiang: Hello, Lan Lan.

Lan Lan: Hello, Xiao Jiang. *(giggles)*

Li Hong: Xiao Jiang, let's eat together!

Xiao Jiang: No thanks, Teacher Li. My girlfriend *(points...)*

Li Hong: Which one is your girlfriend?

Xiao Jiang: *(points)* The tall one ..., her name is Xiao Yan.

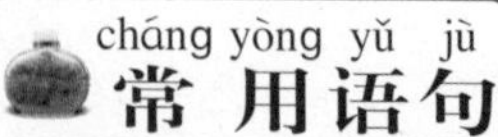

cháng yòng yǔ jù
常用语句

wǒ shì
我是……

nín guì xìng
您贵姓?

miǎn guì xìng
免贵姓……

wǒ jiào
我叫……

zhè shì shuí
这是谁?

zhè shì
这是……

nà shì
那是……

nǎ wèi shì
哪位是……

nà wèi shì
那位是……

ràng wǒ jiè shào yí xià
让我介绍一下……

nín jiù shì
您就是……

shēng cí
生词

míng piàn
名片

tuì xiū
退休

shū shu
叔叔

shuí
谁

sūn zi wài sūn zi
孙子、外孙子

jiè shào
介绍

xiān sheng
先生

nǚ ér
女儿

péng you
朋友

lǎo shī
老师

chī fàn
吃饭

yì qǐ
一起

gāo gèr
高个(儿)

xué sheng
学生

Common Expressions

I'm...

What's your surname?

My surname is...

My name is...

Who is this?

This is ...

That's ...

Which one is...

That one is...

Let me introduce...

So you're...

Vocabulary

Business card	introduce	have a meal
retire	mister	together
uncle	daughter	tall (person)
who	friend	student
maternal grandson,	teacher	
paternal grandson		

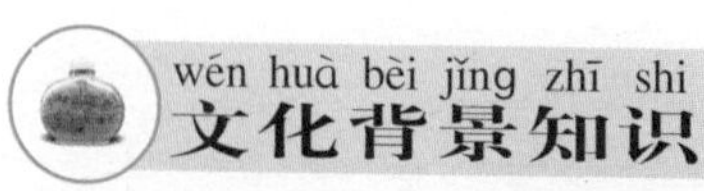

介绍和礼节

在中国，自我介绍时一般不说出职务或职称。在一般场合介绍时，只介绍双方的职业或姓名。如：这是王先生，那是李老师。这是刘明和那是李红等。

中国人的名字都是姓在前，名在后，这个顺序与英文恰恰相反。本课对话中的人物被称作刘明，正确的称谓方法应为刘明先生，而恰恰相反，为能让讲英语的人听起来方便，中国人有时也会改变顺序。因此，他可能介绍自己的朋友。但是总会有办法告诉对方哪个是姓哪个是名字。大多数中国人的名字为三个字，如：刘小明。如果名字写在一起，也知道每个字的意

Cultural Background

Introductions and Etiquette

Self-introductions don't usually involve titles or job positions.

In normal introductions, just say the occupation and name, for example, this is Mr. Wang, that is Teacher Li. This is Liu Ming and that is Li Hong, etc.

In China the surname "姓" comes first, while the given name" 名 " or" 名字 "comes second. This is the opposite order from what we use in English. In our dialogue there is a character called Liu Ming, the correct way would be to address him as Mr. Liu. Unfortunately, in order to make it more convenient for English speakers, sometimes Chinese people switch the order around. So he might introduce himself as Ming Liu. But there are ways to tell which the surname is and which the given name is. For example, most names are made of three syllables. For instance, Liu Xiaoming, so if the name is written together, you know that the syllable by itself, or Liu, is the surname. Xiaoming

思，刘是姓，小明是名。除此之外，一些中国人的姓是两个字，如：司徒、欧阳、诸葛等，用得也较为普遍。

在中国，介绍两个或两个以上的人时要先介绍年长者，后为年轻者；从职位高者到职位低者；年轻者或职位低者先主动说“你好！”。如果对方职位高而且年长，直呼姓名被看作不礼貌。在这种情况下，最好称他的职位或他的头衔，如：“刘部长”、“刘老师”、“刘经理”。

中国人见面问候一般情况下不拥抱，但握手是较为普遍的。

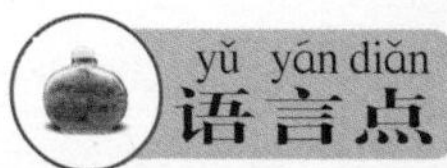

yǔ yán diǎn 语言点

1 “*这是谁？*”

“**谁**”，疑问代词。表示疑问时，在句中的位置有两种：在动词后，“她是谁？”；在动词前，“谁是老师？”

would be the given name. The only exception occurs when some Chinese surnames have two syllables. For instance, "司徒", "欧阳", "诸葛"is a very common two syllable surname.

In China, when introducing two or more people, start with the elder, then the younger person; start with the person in a senior position, to a junior person; the younger or junior person usually say"Hello"first. If someone is in a position of authority or much older, it can be considered impolite to call them directly by names. In this case, it is much better to call them by their titles. For instance," 刘部长 "Minister Liu, or" 刘老师 " Teacher Liu "刘经理"Manager Liu. Or if the person is much older,"刘叔叔 ", uncle Liu, is also considered polite.

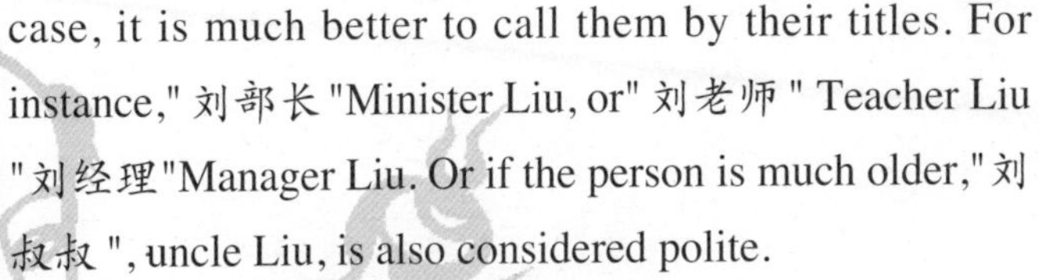

Handshaking is the norm, while embraces are rare.

Language Points

1 " 这是谁?" — "*Who is this?*", here the" 谁 "is an interrogative pronoun. In questions, the word can have two positions in the sentence: after the verb, "她是谁?""Who is she?"；in front of the verb, " 谁是老师?" "Who is the teacher?"

2 “*让我来介绍一下儿。*”

“来”+动词，表示要做某事。“一下儿”放在动词后，表示一次时间很短的动作。

3 “*哪*”后跟量词或数量词时，口语中常说něi；单用时口语中常说nǎ。

zhù shì
注释

1 “您贵姓”客气地问对方的姓。“贵”是敬词。回答时只说自己的姓：“我姓……“，也可以说出全名：“我叫……”。不能说“我贵姓……”。

2 "让我来介绍一下儿"—"*Let me introduce.*", the "来"+ verb means to do something. "一下儿" or "a bit" after the verb indicates the action or activity is for a short time.

3 "哪"—"*Which*"is followed by measurement words, it is pronounced as"něi"when spoken; used on its own in spoken language it is pronounced"nǎ".

Explanatory Notes

1 "您贵姓"is a polite way of asking for someone's surname. "贵"is a respectful word for others. Reply with:"My surname is...", or say your whole name: "My name is ...". But leave out the polite word, i.e. don't say"我贵姓……".

2 "我的女朋友……"。在中国，"女朋友""男朋友"指的是恋人，如果是一般的朋友，介绍时说："这是我的一个朋友"；为了避免误解，在谈到异性朋友时，有人也强调说"女的朋友"或"男的朋友"。

3 "您就是"中的"就是"表示强调实际情况是这样。如：会话中说道："您就是刘明啊！"

4 "还好，还好。"连用两个好表示热情。

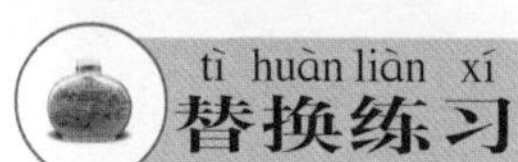

tì huàn liàn xí
替换练习

tā tā shì shuí
他/她是谁？

tā shì liú jīng lǐ
他是刘经理。

tā shì lǐ lǎo shī
她是李老师。

2 "我的女朋友……". In China,"女朋友girlfriend"or "男朋友 boyfriend" refer to lovers, if only talking about a normal friend, introduce them as: "This is my friend"; to avoid misunderstandings when talking about friends of the opposite sex, some people prefer to stress"female friend" or"male friend".

3 The" 就是 "in" 您就是 "stresses that something is really true. In the dialogue for example,"So you're Liu Ming!"

4 "还好,还好。" — "Pretty good, pretty good.", doubling"好"together expresses warmth.

Substitutional Drills

Who is he/she?
He is Manager Liu.
She is Teacher Li.

nín jiù shì
您就是……

wǒ shì dà niú
我是大牛。

wǒ shì lǐ hóng
我是李红。

wǒ jiào liú míng
我叫刘明。

nà wèi shì
那位是……

tā shì wǒ de nǚ péng you
她是我的女朋友。

tā shì wǒ de nán péng you
他是我的男朋友。

nín guì xìng
您贵姓？……

wǒ xìng zhāng
我姓张。

wǒ xìng wáng
我姓王。

wǒ xìng zhào
我姓赵。

wǒ jiào zhāng xiǎo fēng
我叫张小锋。

wǒ jiào lán lan
我叫兰兰。

miǎn guì xìng lǐ
免贵姓李。

miǎn guì xìng liú
免贵姓刘。

nǎ wèi shì
哪位是……

nǐ de lǎo shī
你的老师

nǐ de péng you
你的朋友

nǐ de tóng xué
你的同学

ràng wǒ jiè shào yí xià
让我介绍一下……

zhè shì liú jīng lǐ
这是刘经理。

nà shì lǐ lǎo shī
那是李老师。

So you're ...

I am Da Niu.

I am Li Hong.

My name is Liu Ming.

That person is...

She is my girlfriend.

He is my boyfriend.

ich one is...

r teacher

r friend

r classmate

me introduce...

s is Manager Liu.

it is Teacher Li.

What's your surname?

My surname is Zhang .

My surname is Wang.

My surname is Zhao.

My name is Zhang Xiaofeng.

My name is Lan Lan.

My surname is Li.

My surname is Liu.

dì sān kè shù zì
第三课 数字

huì huà
会话

Excuse me, is Manager Wang at home?

A

jū mín xiǎo qū
(居民小区。)

yī lì shā bái qiāo mén èr mén sān líng bā hào duì jiù shì zhèr
伊丽莎白：(敲门)2门 308 号。对，就是这(儿

lǐ hóng kāi mén
李 红 ：(开门)

yī lì shā bái qǐng wèn wáng jīng lǐ zài jiā ma
伊丽莎白：请问，王经理在家吗？

lǐ hóng duì bù qǐ zhè lǐ méi yǒu wáng jīng lǐ nín
李 红 ：对不起，这里没有王经理，您

cuò le yào guān mén
错了。(要关门)

yī lì shā bái láo jià zhè bú shì èr mén sān líng bā shì ma
伊丽莎白：劳驾，这不是2门 308 室吗？

lǐ hóng duì zhè shì èr mén sān líng bā shì kě shì
李 红 ：对，这是2门 308 室。可是，

LESSON THREE
Numbers

Dialogue

A

(Residential area.)

Elizabeth: *(knocks door)* Room 308, gate 2. That's right, this is it.

Li Hong: *(opens door)*

Elizabeth: Excuse me, is Manager Wang at home?

Li Hong: Sorry,there is no Manager Wang here. You've got the wrong address. *(closes door)*

Elizabeth: Excuse me, isn't this room 308, gate 2?

Li Hong: Right, this is room 308, gate 2. But, this is not Manager Wang's home.

Elizabeth: But, have a look, this is the address

bú shì wáng jīng lǐ de jiā
不是王经理的家。

yī lì shā bái kě shì nín kàn zhè shì wáng jīng lǐ gěi wǒ de dì zhǐ èr mén sān líng bā shì
伊丽莎白：可是，您看，这是王经理给我的地址，2门 308 室。

lǐ hóng kàn le kàn dì zhǐ xiào nǐ yào zhǎo de wáng jīng lǐ shì zhù zài èr mén sān líng bā shì wǒ yě zhù zài èr mén sān líng bā shì
李红：(看了看地址)(笑)你要找的王经理是住在2门 308 室。我也住在2门 308 室。

yī lì shā bái kě shì bù jiě
伊丽莎白：可是……(不解)

lǐ hóng nǐ zhǎo de wáng jīng lǐ zhù zài shí wǔ hào lóu zhè shì shí liù hào lóu
李红：你找的王经理住在 15 号楼，这是 16 号楼。

yī lì shā bái zhēn duì bu qǐ ná guò dì zhǐ zhǎo cuò lóu le shì shí wǔ hào lóu èr mén sān líng bā shì dǎ rǎo le
伊丽莎白：真对不起！(拿过地址)找错楼了，是 15 号楼2门 308 室，打扰了。

lǐ hóng méi guān xi
李红：没关系。

yī lì shā bái zài jiàn
伊丽莎白：再见！

lǐ hóng zài jiàn
李红：再见！

Manager Wang gave me, room 308, gate 2.

Li Hong: *(looks at address) (laughs)* Manager Wang who you are looking for does live at room 308, gate 2. I also live at room 308, gate 2.

Elizabeth: But ...*(confused)*

Li Hong: Your Manager Wang lives in Building 15,this is Building 16.

Elizabeth: I'm so sorry!*(takes address)* Got the wrong building ... It's room 308, gate 2, Building 15... I'm sorry to trouble you.

Li Hong: That's ok.

Elizabeth: Good-bye!

Li Hong: Good-bye!

B

xué xiào sù shè lóu
(学校宿舍楼)

xiǎo jiāng wèn nǚ péng you
小江：(问女朋友

wǒ yǒu liǎng zhāng yīn yuè h
我有两张音乐会

de piào nǐ xiǎng qù ma
的票，你想去吗？

tīng shuō tè bàng
听说特棒！

jiǎ xíng a piào ne
甲：行啊！票呢？

xiǎo jiāng zài zhèr
小江：在这(儿)。

jiǎ kàn piào shén me èr shí jiǔ pái sān shí yī hào
甲：(看票)什么？29排31号？

xiǎo jiāng duì ya wǒ de piào shì èr shí jiǔ pái sān shí sān hào
小江：对呀，我的票是29排33号。

jiǎ sān shí yī hào sān shí sān hào zài shuō èr shí jiǔ pái
甲：31号，33号。再说，29排，

tài yuǎn le wǒ shì jìn shì yǎn zuò zài zuì hòu yì
太远了！我是近视眼，坐在最后一

pái shén me yě kàn bù qīng
排什么也看不清！

xiǎo jiāng shì a dì yī pái de piào jià wǔ shí yuán ne zhè
小江：是啊，第一排的票价50元呢！这

cái èr shí yuán yì zhāng
才20元一张。

B

(School dormitory building)

Xiao Jiang: *(asks girlfriend)* I have two concert tickets, do you want to go? I hear it's really great!

A: Sure! Where are the tickets?

Xiao Jiang: They're here.

A: *(looks at tickets)* What? Number 31, 29th row?

Xiao Jiang: That's right, my ticket is Number 33, 29th row.

A: Number 31, number 33. Anyway, the 29th row, that's too far away! I'm short-sighted, so I won't be able to see anything clearly sitting in the last row!

Xiao Jiang: Yes, but the ticket price for the first row is 50 Yuan. This is only 20 Yuan each.

cháng yòng yǔ jù
常用语句

qǐng wèn
请 问

duì bù qǐ
对不起

láo jià
劳驾

zhè lǐ méi yǒu
这里没有

zhè bú shì　　　　ma
这不是……吗？

zhè shì　　　kě shì
这是……可是……

tīng shuō
听说

shén me　yě　　méi
什么(也，没)

zhè cái
这才

shēng cí
生词

mén
门

shì
室

qǐng wèn
请 问

zhǎo
找

cuò
错

bú shì
不是

jiā
家

dì zhǐ
地址

kàn
看

zhù
住

hào
号

lóu
楼

liǎng zhāng
两　张

piào
票

yīn yuè huì
音乐会

gěi
给

tè bàng
特棒

pái
排

jìn shì yǎn
近视眼

zài shuō
再说

tài yuǎn le
太远了

Common Expressions

Excuse me

Sorry

Excuse me

There is no...

Isn't this...?

This is...but

I hear

Anything

This is only

Vocabulary

gate
room
excuse me
look for
wrong
not
home

address
look
live
number
building
two (refers to tickets)
ticket

concert
give
really great
row
short-sighted
anyway
too far

cái 才

zuì hòu 最后

zuò 坐

yuán 元

kàn bù qīng 看不清

wén huà bèi jǐng zhī shi 文化背景知识

数字的用法

在中国，阿拉伯数字应用较为广泛，但每个数字在汉语里都有另一种写法，如：一、二、三、四、五、六、七、八、九、十。而实际上，这种写法还有另外一种大写的方式，这些大写的汉字一般用在正式的、有特殊要求的场合，如用在支票、合同、协议等使之更严谨，不易被涂改。但这些汉字书写起来较为复杂。在中国，也可以看到大写的英文字母被广泛使用，如：A、B、C、D、E 常常被用于定位楼座或级别，如：A座、B级(意思是二等或二级)。

拼读汉语里的数字有时会混淆，因为汉语里的“一”和“七”

only	sit	can't see clearly
last	Yuan	

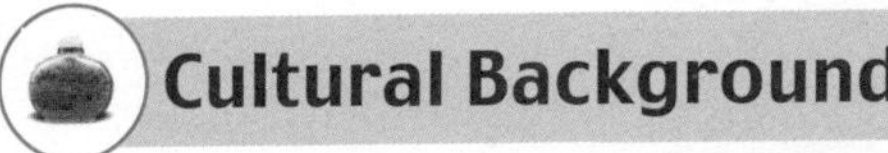

Cultural Background

Using Numbers

The Arabic numeral system is also widely used in China. But each number also has a Chinese character; this is the common form of writing a number. But in fact these numbers also have a capital form that would be used on checks or in contracts when you want to make sure that the numbers are not negotiable. These characters are much more complex. In China you will find that English letters, the capital letters, especially the first few"A,B,C,D,E"are often used to order buildings or levels. For instance,"A 座"would be "Building A". "B 级 "would be B level or level two.

The pronunciations of the Chinese numbers one and seven are similar in Chinese, "一"(yī) 和 "七"(qī). In order to differentiate the two

读起来很容易，但听者难于分辨。为了区别这两个数字，人们在打电话告诉对方数字或地址时，往往把“一”读作“yāo”。如果数字为“5117”，人们就把它读作“wǔ yāo yāo qī”而不是“wǔ yī yī qī”

中国的算术制与西方的算术制大体相同，读起来也较为简便，如：个位、十位、百位、千位、万位、十万位、百万位、千万位。一万就直接读一万，而不读十千；十万不能读作一百千。

与世界各地一样，中国也有较为忌讳的数字。在中国，数字“4”就像西方的“13”一样，因为它的读音与汉字的“死”同音，人们认为不吉利。然而，“6”被认为是吉利的数字，它的发音与汉字的“顺”类似。数字“8”被认为是最好的数字，它读作“发”，发财的意思。因此，

when referring to a telephone number or an address, the pronunciation of one "yī"is changed into"yāo". So a number like 5117 should be read as "wǔ yāo yāo qī", not"wǔ yī yī qī".

Traditionally in China the decimal system has been used so the numbers are quite similar to ours. The units are called"个位", the tens "十", the hundreds"百", thousands"千". But in China there is a special unit for ten thousand"万". One hundred thousand would be"十万", not "一百千", while one million is"一百万".

Number superstitions exist in China as in other places, for instance, the number 4 "sì" in Chinese is considered very inauspicious, because its pronunciation is very similar to words"死" death or to die. But the number 6 "liù"is considered very auspicious, because it sounds the same as"liū""溜"which means smooth, to go smoothly. While the best number is probably 8, "bā", because its pronunciation is very close to that of "fā""发", which means to strike it rich. Hence

中国人喜欢这两个数字并常用“6”和“8”。中国的一些楼房没有四层就像西方没有十三层一样。商场里出售的一些商品也经常出现以88为尾数的价格(意思是发财)，如：688元(顺发发；而西方常常以99为货物价格的尾数)。

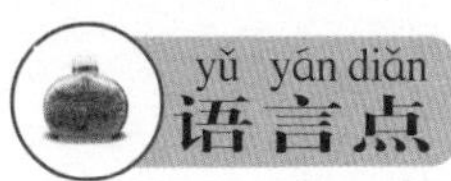

1 “*才*”在汉语里是副词，在会话中强调数量少。在日常会话中，有时可以表示时间的快、慢、早、晚等。

2 “*这不是……吗？*”表示强调的意义。“不是”一定要用在所强调的成

many people like numbers that have sixes and eights in them. That explains why in China, many buildings do not have a fourth floor. The same way in the west many buildings don't have the thirteenth floor. Product prices, especially larger items, often end in 88(means to get rich), not 99 cents as it is often in the west. For instance, 688 Yuan is considered a very auspicious price.

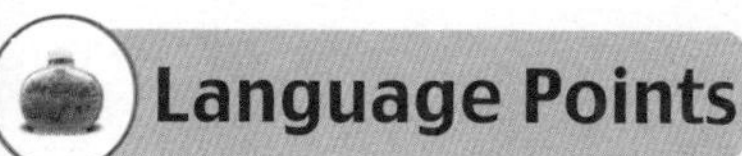

Language Points

1. "才" — "*only*" in Chinese is an adverb, in the dialogue it stresses that the number or quantity is small. In daily use, it can indicate that time is fast, slow, early, late, etc.

2. "这不是……吗?" — "*Isn't this...?*" lays stress." 不是 " must be before

分前面，“吗”在句尾。“不是吗”用于反问，句末用问号，表示强调。“不是……吗？”中间可以是词或词组。该句只有在发现与已知情况不符合的情况时才用，以表示反问，用以进一步肯定已知情况，并对新情况提出疑问。

zhù shì 注释

1 劳驾：劳驾是客气用语，用于请求别人帮忙或让路。

2 “请问”，是汉语中最常用的礼貌用语，一般用在句子开头，表示客气地向别人提出问题。

the element being stressed, while"吗" is placed at the end of the sentence." 不是吗 " is used as a rhetorical question and ends with a question mark in emphasis. Between the"不是" and"吗?" can be a word or phrase. The sentence is only used where there is a difference between already known conditions and the newly found conditions, it reaffirms the known conditions and questions the new conditions.

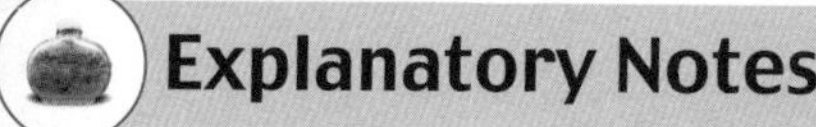

Explanatory Notes

1 "劳驾"—"Excuse me", is a polite expression used to ask people for help or to give way.

2 " 请问 ", is the most often used polite expression in Chinese, added to the start of a sentence, it is a way of asking questions politely.

3 特棒：是中文俚语，表示什么事或东西好极了。

4 汉语的数字比英语简单一些，只要记住“一”至“十”的读法，100 以下的数字就都会读了。

tì huàn liàn xí
替换练习

tài yuǎn le
太远了！

tài rè le
太热了！

tài jìn le
太近了！

tài lěng le
太冷了！

tài hǎo le
太好了！

3 "特棒" — "really great", Chinese slang, to say something is absolutely terrific or really great .

4 Numbers in Chinese are easier to learn than in English, just remember the pronunciations for one to ten, then you know how to read all numbers under one hundred using the same pronunciations .

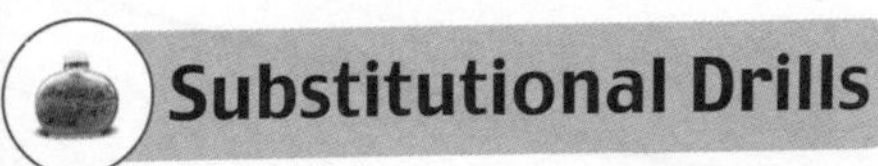

Substitutional Drills

It's too far!
It's too hot!
It's too close!
It's too cold!
It's (too) good!

zhè bú shì ma
这不是……吗？

zhè bú shì lǐ lǎo shī de jiā ma
这不是李老师的家吗？

zhè bú shì nǐ de shū ma
这不是你的书吗？

zhè bú shì tā de péng you ma
这不是他的朋友吗？

qǐng wèn
请问……

qǐng wèn zhè shì běi dà ma
请问这是北大吗？

qǐng wèn zhè shì liú jīng lǐ de gōng sī ma
请问这是刘经理的公司吗？

qǐng wèn zhè shì sān pái èr hào ma
请问这是3排2号吗？

zhè cái
这才……

zhè cái wǔ yuán qián
这才5元钱

zhè cái yì diǎn zhōn
这才一点钟

zhè cái tiān liàng
这才天亮。

Isn't this...?

Isn't this Teacher Li's home?

Isn't this your book?

Isn't this his friend?

Please tell me...

Please tell me, is this Peking University?

Please tell me, is this Manager Liu's company?

Please tell me, is this No.2 of the third row?

It's only...

It's only 5 Yuan.

It's only one o'clock.

It's only daylight now.

dì sì kè shí jiān
第四课 时间

huì huà
会话

A

zài jiā
(在家。)

liú míng shēn lǎn yāo lǐ hóng jǐ diǎn le
刘明：(伸懒腰)李红，几点了？

lǐ hóng jǐ diǎn le jiǔ diǎn shí fēn le
李红：几点了？九点十分了。

liú míng huài le huài le yào chí dào le
刘明：坏了坏了，要迟到了。

lǐ hóng nǐ hú tu le jīn tiān nǐ xiū xi
李红：你糊涂了？今天你休息。

liú míng wǒ zhī dào kě
刘明：我知道。可……

LESSON FOUR
Time

Dialogue

A

(At home.)

Liu Ming: *(stretching)*Li Hong, what's the time?

Li Hong: What's the time? Ten minutes past nine.

Liu Ming: Oh my god, I'm going to be late.

Li Hong: Have you forgotten? It's your day off today.

Liu Ming: I know, but...

lǐ hóng kě shén me
李红：可什么？

liú míng nǐ wàng le shí diǎn zhōng yào qù jī chǎng jiē
刘明：你忘了，十点钟要去机场接

wǒ bà
我爸？

lǐ hóng āi yo wǒ gěi wàng le kuài hái yǒu sì shí wǔ
李红：哎哟，我给忘了。快，还有 45

liú míng fēn zhōng qù jī chǎng hái lái de jí
刘明：分钟，去机场还来得及。

nà wǒ xiān qù le
那我先去了。

B

zài xué xiào sù shè
（在学校宿舍。）

Busy, can't get any busier!

xiǎo jiāng zuì jìn máng ma
小江：最近忙吗，Tina？

máng máng sǐ wǒ le yì tiān
Tina：忙，忙死我了！一天

èr shí sì xiǎo shí gēn běn bú gòu
24 小时根本不够。

xiǎo jiāng shén me èr shí sì xiǎo shí hái bú
小江：什么？ 24 小时还不

gòu nǐ dōu máng xiē shén me ne
够？你都忙些什么呢？

Li Hong: But what?

Liu Ming: You forgot, we have to pick up my dad from the airport at 10 o'clock?

Li Hong: Whoops, I forgot. Quick, there's 45 minutes to go, we can still make it to the airport.

Liu Ming: Then I'll go there right now.

B

(In School dormitory.)

Xiao Jiang: Been busy lately, Tina?

Tina: Busy, can't get any busier! 24 hours in a day aren't enough at all.

Xiao Jiang: What? 24 hours aren't enough? What are you busy doing?

You see, I go to classes from 8 to 12

nǐ kàn wǒ shàng wǔ bā diǎn dào shí èr diǎn shàng
Tina：你看，我上午8点到12点上

on the internet after dinner,

kè shí èr diǎn dào shí èr diǎn bàn
课；12点到12点半

chī wǔ fàn xià wǔ yī diǎn dào
吃午饭；下午1点到

sān diǎn xué hàn yǔ rán hòu sān
3点学汉语；然后3

diǎn dào wǔ diǎn dǎ wǎng qiú wǎn
点到5点打网球；晚

fàn hòu liù diǎn dào bā diǎn shàng
饭后6点到8点上

wǎng chá zī liào
网查资料……

xiǎo jiāng nà wǎn shang bā diǎn yǐ hòu ne
小江：那晚上8点以后呢？

bā diǎn yǐ hòu gèng máng wǎn shang bā diǎn dào bàn
Tina：8点以后更忙。晚上8点到半

yè shí èr diǎn wǒ yì zhí zài jiǔ bā
夜12点我一直在酒吧。

xiǎo jiāng qù pào bā nà yě jiào máng
小江：去泡吧？那也叫忙？

wǒ qù jiǔ bā dǎ gōng bú shì
Tina：我去酒吧打工，不是

pào bā
泡吧。

xiǎo jiāng shì gòu máng de cóng zǎo
小江：是够忙的，从早

máng dào wǎn
忙到晚。

Tina: You see, I go to classes from 8 to 12 in the morning; have lunch between 12 and 12:30; learn Chinese from 1 to 3 in the afternoon; then play tennis from 3 to 5; look for information on the internet after dinner from 6 to 8...

Xiao Jiang: What about after 8 at night?

Tina: I get busier after 8 pm. I'm at the bar all the time from 8 to 12 midnight.

Xiao Jiang: Hanging out at the bar? You call that busy?

Tina: I work at the bar, not hang out there.

Xiao Jiang: That is pretty busy, from morning to night.

chánɡ yònɡ yǔ jù 常用语句

jǐ diǎn le
几点了？

hái lái de jí
还来得及

yào chí dào le
要……迟到了

cónɡ zǎo mánɡ dào wǎn
从早忙到晚

zuì jìn mánɡ ma
最近忙吗？

wǒ qù bú shì
我去……不是

jǐ diǎn dào jǐ diǎn
几点到几点

hái yǒu
还有

shēnɡ cí 生词

jǐ diǎn
几点

huài le
坏了

hú tu
糊涂

xiū xi
休息

zhī dao
知道

wànɡ
忘

jī chǎnɡ
机场

jiē
接

bà ba
爸爸

zhēn
真

āi yo yǔ qì cí
哎哟—语气词

mánɡ
忙

mánɡ sǐ le
忙死了

ɡēn běn
根本

bú ɡòu
不够

dōu
都

shànɡ kè
上课

bàn
半

hàn yǔ
汉语

dǎ wǎnɡ qiú
打网球

shànɡ wǎnɡ
上网

Common Expressions

What's the time?	There's still time
Going to be...late	busy from morning to night
Been busy lately?	I go...not to
From what time to what time	
There's still	

Vocabulary

what time	pick up	not enough
Oh no	dad, father	at all
forgetful/muddled	really	attend classes
rest	uh-oh-exclamatory	half
know	busy	Chinese
forget	can't get any busier	play tennis
airport	at all	go on the internet

chá zī liào
查资料

yǐ hòu
以后

gèng máng
更忙

yì zhí
一直

jiǔ bā
酒吧

pào
泡

dǎ gōng
打工

gòu
够

fēn zhōng
分钟

lái de jí
来得及

wén huà bèi jǐng zhī shi
文化背景知识

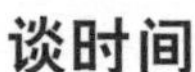

谈时间

中国的所有地方都在一个时区里。中国的标准时间被称作北京时间，即格林尼治时间加八小时，全国各地没有时差。

中国人很守时，迟到被看作是不礼貌。在本课的对话中，刘明担心去机场接父亲会迟到，

look for information	bar	minute
after	hang out	there is still time
busier	work	
all along	enough	

Cultural Background

Talking about Time

All of China is in the same time zone. Beijing time, which is calculated at Greenwich Mean Time plus eight hours, is called China' s standard time. There is no daylight saving' s time, so the time is the same throughout the year.

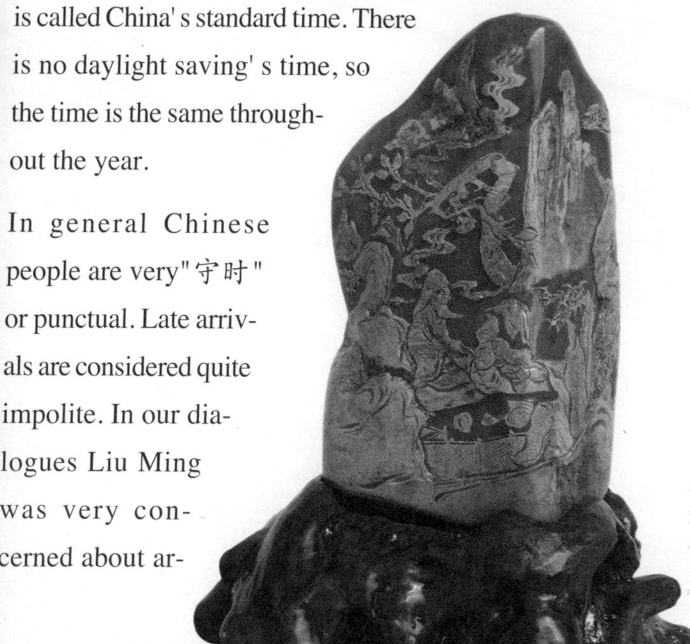

In general Chinese people are very"守时" or punctual. Late arrivals are considered quite impolite. In our dialogues Liu Ming was very concerned about ar-

去北京机场要考虑交通因素。与世界各国的大城市一样，中国的大城市上下班的交通也较为堵塞和拥挤。从北京的市区到机场有很长一段路，虽然有高速路，但也需要时间。北京机场工作效率很高，这就意味着刘明的父亲下飞机后会很快办完手续出机场，因此，刘明担心要迟到了。

汉语里的时间称谓与英语基本相同，如：一小时、一刻钟、半小时、三刻钟等。北京有个特殊的时刻，就是天安门升旗，被称作“天安门升旗仪式”。由于每天太阳升起和落山的时间要根据天气而变化，因此，每天升旗和降旗的准确时间都不固定，具体时间均刊登在各大报纸上或因特网上。

riving at the airport late to pick up his father. He is going to the Beijing Capital International Airport" 北京首都国际机场 ", taking into account the traffic, because China, like elsewhere, experiences traffic jams during rush hour.There is a long distance from the city center to the Beijing Capital International Airport. Though there is a highway, it still needs time to get there.The efficiency of Beijing Airport means that Liu Ming's father will probably come out quickly. It is also best to leave plenty of time prior to departures.

Units of time in Chinese are similar to those in English." 一小时 " is one hour." 一刻钟 " is a quarter or fifteen minutes." 半小时 "is half an hour." 三刻钟 " would be forty-five minutes or three quarters. One special event in Beijing really worth seeing is the raising and lowering of the national flag in Tian' anmen Square, called the"升旗仪式", or the flag raising ceremony. Because dawn and dusk occur at slightly different time everyday, the exact times are published in newspapers and on the internet.

yǔ yán diǎn
语言点

1. *坏了坏了*：加强语气。连用表示强调。

2. 表示时间的名词或数量在此课做主语、谓语、定语。

   如：现在九点。*(主语)*

   今天 10 号。*(谓语)*

   我们看6点30分的电影。*(定语)*

   上午的表演很精彩。*(定语)*

3. *忙死我了*：表示忙的程度。

4. 时间表达方式：

   时间点的表达：

   09：10　9 点 10 分

   10：30　10 点半

Language Points

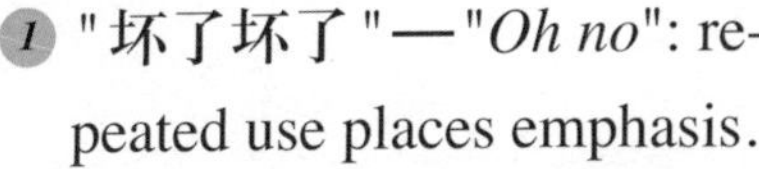

1 "坏了坏了"—"*Oh no*": repeated use places emphasis.

2 Nouns or quantities that represent time are used as subjects, predicates, and attributives in this lesson.

For example:

现在九点. It is nine o'clock now. *(subject)*

今天10号. Today is the 10th. *(predicate)*

我们看6点30分的电影. We are watching the 6:30 movie. *(attributive)*

上午的表演很精彩. The morning's performance was brilliant. *(attributive)*

3 "忙死我了"—"*Can't get any busier*", to show extent of being busy.

4 Ways of expressing time:

To denote a point in time:

09：10　9点10分, nine ten or ten past nine

10：30　10点半, ten thirty or half past ten

5 *时间段的表达*：

45 分钟

一天 24 小时

上午

下午

晚上

半夜

zhù shì
注释

1 “几”用来询问数字，多用于询问十以下的数字。

2 泡吧：在酒吧里消磨时间。

tì huàn liàn xí
替换练习

dǎ
打……

dǎ wǎng qiú
打网球

dǎ lán qiú
打篮球

dǎ yǔ máo qiú
打羽毛球

dǎ pīng pāng qiú
打乒乓球

5 *To denote lengths of time:*

45 minutes

24 hours a day

morning

afternoon

night

midnight

Explanatory Notes

1 " 几 " is used to enquire about numbers, usually about numbers below ten.

2 "泡吧" —"hang out at the bar", means to kill time in a bar.

Substitutional Drills

Play ...

Play tennis

Play basketball

Play badminton

Play table tennis

qù bú shì qù
去……不是去……

wǒ qù jī chǎng bú shì qù huǒ chē zhàn
我去机场，不是去火车站。

wǒ qù xué xiào bú shì qù fàn diàn
我去学校，不是去饭店。

wǒ qù yùn dòng chǎng bú shì qù shí táng
我去运动场，不是去食堂。

wǒ qù tú shū guǎn bú shì qù jiào shì
我去图书馆，不是去教室。

cóng dào
从……到……

cóng bái tiān dào hēi yè
从白天到黑夜

cóng nán dào běi
从南到北

cóng chē zhàn dào xué xiào
从车站到学校

cóng sù shè dào jiào shì
从宿舍到教室

lái de jí
……来得及

qù huǒ chē zhàn hái lái de jí
去火车站还来得及。

qù lǎo shī jiā hái lái de jí
去老师家还来得及。

yì zhí
一直……

wǒ men yì zhí zài kàn shū
我们一直在看书。

tā yì zhí zài wánr
他一直在玩(儿)。

dà jiā yì zhí zài tīng kè
大家一直在听课。

ɔing to..., not to the...

n going to the airport, not to the train station.

n going to the school, not to the restaurant.

n going to the sports oval, not to the canteen.

n going to the library, not to the classroom.

From... to...

From day to night

From south to north

From the station to the school

From the dormitory to the classroom

There is still enough time...

There is still enough time to go to the train station.

There is still enough time to go to the teacher's home.

ll that time

were reading all the time.

has been playing all the time.

ryone was attending class all the time.

dì wǔ kè rì qī
第五课 日期

huì huà
会话

Xiao Jiang，what are you looking at?

A

zài jiào shì lǐ
（在教室里。）

lǐ hóng xiǎo jiāng kàn shén me ne
李红：小江，看什么呢？

xiǎo jiāng lǐ lǎo shī nín hǎo wǒ zài kàn chūn jié shì nǎ tiān
小江：李老师，您好。我在看春节是哪天

lǐ hóng ràng wǒ kàn kan jīn nián de chūn jié shì èr yuè yī rì
李红：让我看看。今年的春节是2月1日

xiǎo jiāng èr yuè yī rì shì xīng qī jǐ a
小江：2月1日是星期几啊？

lǐ hóng èr yuè yī rì shì xīng qī liù
李红：2月1日是星期六。

LESSON FIVE
Dates

Dialogue

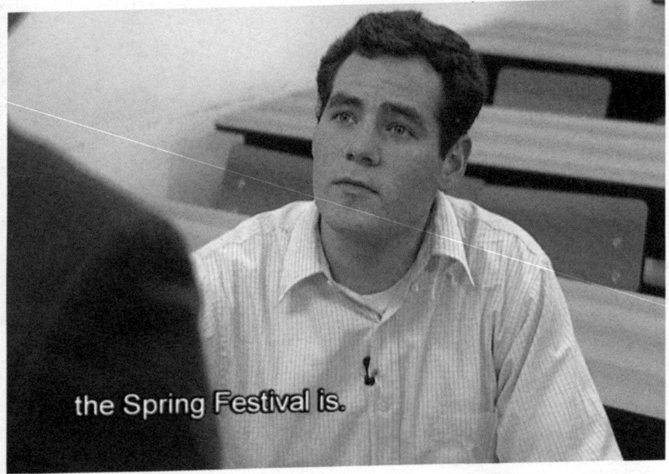

(In the classroom.)

Li Hong: Xiao Jiang, what are you looking at?

Xiao Jiang: Hello, Teacher Li. I'm having a look at which day the Spring Festival is.

Li Hong: Let me see. This year the Spring Festival is on February 1st.

Xiao Jiang: 1st of February? What day is that?

Li Hong: 1st of February is Saturday.

xiǎo jiāng nà chūn jié fàng jǐ tiān jià ne
小 江：那春节放几天假呢？

lǐ hóng qī tiān cóng èr yuè yī rì dào èr
李红：7天，从2月1日到2

yuè qī rì
月7日。

xiǎo jiāng zhēn bú cuò kě shì
小 江：真不错！可是，

lǐ lǎo shī èr yuè bā rì
李老师，2月8日

shì xīng qī liù a
是星期六啊？

xīng qī liù hái shàng
星期六还 上

kè ma
课吗？

lǐ hóng shì de zhōu mò yě yào shàng kè
李红：是的，周末也要 上 课。

Xiao Jiang: Then how many days of holiday do we get for the Spring Festival?

Li Hong: 7 days, from the 1st of February to the 7th of February.

Xiao Jiang: That's really good! But, Teacher Li, the 8th of February is a Saturday! Do we have classes on the Saturday?

Li Hong: Yes, there'll be classes on the weekend.

B

zài xiào yuán lǐ
（在校园里。）

jiǎ xiǎo jiāng nǐ yào qù nǎr
甲：小江，你要去哪(儿)?

xiǎo jiāng wǒ yào qù mǎi ge xiāng zi wǒ xià zhōu wǔ huí guó
小江：我要去买个箱子。我下周五回国。

jiǎ nǐ huí guó dāi duō cháng shí jiān
甲：你回国呆多长时间?

xiǎo jiāng wǒ yào dāi sān ge xīng qī nǐ shén me shí hou huí guó qù
小江：我要呆三个星期。你什么时候回国去?

jiǎ wǒ wǔ yuè èr shí hào huí guó
甲：我5月20号回国。

xiǎo jiāng wǔ yuè èr shí hào nà bú shì xià zhōu wǔ ma
小江：5月20号？那不是下周五吗?

jiǎ ō duì la wǒ dōu hú tu le wǒ men kě yǐ yì qǐ dǎ dī qù jī chǎng
甲：噢，对啦，我都糊涂了。我们可以一起"打的"去机场。

xiǎo jiāng tài hǎo le
小江：太好了！

I'm going to buy a suitcase.

B

(In the school grounds.)

A: Xiao Jiang, where are you going?

Xiao Jiang: I'm going to buy a suitcase. I'm going back to my home country next Friday.

A: How long are you staying in your home country?

Xiao Jiang: I'm going to stay for three weeks. When are you going back?

A: I'm going back on May 20th.

Xiao Jiang: May 20th? Isn't that next Friday?

A: Oh, that's right, I'm all muddled. We can share a taxi to the airport.

Xiao Jiang: That's great!

cháng yòng yǔ jù
常用语句

wǒ zài kàn
我在看……

fàng jǐ tiān jià
放几天假？

shì xīng qī jǐ
是星期几？

wǒ yào qù mǎi　　wǒ yào dāi
我要去买……我要呆……

dāi duō cháng shí jiān
呆多长时间？

nà bú shì
那不是……

shēng cí
生词

chūn jié
春节

xīng qī
星期

xīng qī jǐ
星期几

fàng jià
放假

shàng kè
上课

zhōu mò
周末

mǎi
买

xiāng zi
箱子

huí guó
回国

dāi
呆

duō cháng
多长

shí jiān
时间

shí hou
时候

wǔ yuè
五月

zhōu wǔ
周五

duì la
对啦

kě yǐ
可以

dǎ dī
打的

qù
去

jī chǎng
机场

hú tu
糊涂

dōu
都

 Common Expressions

I'm having a look at...

How many days of holiday are we given?

What day is it?

I'm going to buy... I'm staying for...

How long (are you) staying?

Isn't that...

 Vocabulary

the Spring Festival	buy	when	go
week	suitcase	May	airport
which day of the week	return to home country	Friday	muddled
holidays (given)	stay	That's right	all
go to classes	how long	can	
weekend	time	take a taxi	

wén huà bèi jǐng zhī shi
文化背景知识

中国的节日

中国的春节是中国最大最热闹的传统节日。过春节时，要买年货，逛集市。家家要团圆，要包饺子吃年夜饭。亲戚朋友互相拜年，见面后互相说："过年好！""春节好！"等吉祥话。过新年还要穿新衣，特别是小孩，这时候最高兴不过了。大人还要给小孩或晚辈压岁钱。在中国的农村，每逢过春节家家还要放鞭炮、贴对联和窗花，到处张灯结彩，喜气洋洋。

中国的节日在一年当中几乎月月都有。最大的节日有：

Cultural Background

Chinese Festivals

The Spring Festival is the largest and most popular traditional festival celebrated in China. For the Spring Festival celebrations, there is new year food shopping to be done, markets to browse, and every family gets together for the important new year's eve meal of dumplings. Relatives and friends visit each other to offer new year greetings, the best things to say are lucky ones such as"Happy New Year!" "Happy the Spring Festival!" New Year also means new clothes, especially to children, who usually have the most fun. Adults also give children or their younger generations lucky red packets with money inside. In rural areas of China, the Spring Festival also means every family lights firecrackers, puts out auspicious couplets on their doors and lucky paper-cuts on windows, everywhere you'll see colorful decorations and bright lanterns, adding to the atmosphere of happiness.

China has festivals in almost every month of the year.

元　旦 —— 1月1日

春　节 —— 阴历正月初一

元宵节 —— 阴历正月十五

妇女节 —— 3月8日

劳动节 —— 5月1日

端午节 —— 阴历五月初五

儿童节 —— 6月1日

中秋节 —— 阴历八月十五

重阳节 —— 阴历九月初九

国庆节 —— 10月1日

除此之外，还有7月1日是中国共产党的生日、8月1日是建军节和9月10日是教师节等等。公历是国际通用的纪年法，以地球绕太阳一周的时间(365.24219天)为一年，平年365天，闰年366天，一年分十二个月。阴历是旧时中国通用的历法，相传创始于夏代，所以叫夏历，人们也把它叫作农历。距今已有四千

The major festivals are:

New Year's Day — ***1st of January***

the Spring Festival — ***1st of the 1st month in the lunar calendar***

Lantern Festival — ***15th of the 1st month in the lunar calendar***

Women's Day — ***8th of March***

Labor Day — ***1st of May***

Dragon Boat Festival — ***5th of the fifth month in the lunar calendar***

Children's Day — ***1st of June***

Mid-Autumn Festival — ***15th of the eighth month in the lunar calendar***

Chongyang Festival — ***9th of the ninth month in the lunar calendar***

National Day — ***1st of October***

In addition, there is the 1st of July — the birthday for the Communist Party of China, the 1st of August – Army Day, and the 10th of September — Teacher's Day, etc. While the international calendar takes one year as being the time it takes for the earth to revolve around the Sun (365.24219 days), normal years have 365 days, leap years have 366 days and each year has twelve months. The lunar calendar is a legacy of the past, its history dates back to the Xia Dynasty, which is why it is also called the Xia calendar,

多年的历史了。阴历与公历正好相反，是以月亮绕地球一周的时间(29.3059天)为一个月，大月30天，小月29天，积十二个月为一年。一年354天或355天，平均每年的天数比公历少11天。在中国，公历和阴历兼用，中国的传统节日一律用阴历来表示。

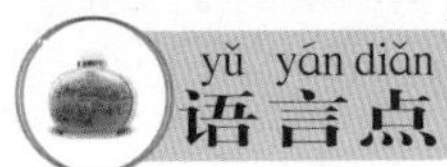

yǔ yán diǎn 语言点

1 “**是**”**字句**：动词“是”和其他词或短语一起构成谓语的句子，叫做“是”字句。“是”字句的否定形式，是在“是”前加否定副词“不”。

2 汉语里年、月、日、星期的表示法。

a. 年的读法是逐个读出每个数字。如：1997年、2000年、2003年。

b. 12个月的名称表示法是数

people also call it Nong (rural) calendar for its use in agriculture. With more than 4000 years' of history, the lunar calendar is the opposite of the international calendar, it takes the amount of time the Moon revolves around the earth (29.3059 days) as one month, normal months have 29 days and leap months have 30 days, twelve months make one year and each year has 354 or 355 days, on average it has 11 days less per year than the international calendar. The international calendar and the lunar calendar are both used in China, with all traditional festivals celebrated according to the dates in the lunar calendar.

Language Points

1. The" 是 " sentence — where the verb" 是 " forms the predicate with other words or phrases,we call them" 是 " sentences in Chinese, the addition of the adverb" 不 " in front of" 是 " negates the" 是 " sentence.

2. To express year, month, day and week in Chinese.

   a. To read the year, read out in order each number that makes up the year. For example: year 1997, year 2000, year 2003.

   b. The 12 months in the year are read by

词1～12后面加“月”即可。如：一月、五月、十月、十二月。

c.日的表示法和月相同。在数字后面加“日”或“号”。(“日”多用于书面语；而“号”则多用于口语。）如：1月1日、5月1日、 2月6号（口语）等。

d. 星期的表示法是“星期”后加数词。如：星期一、二、三、四、五、六，有时也叫周一、二、三、四、五、六、周日等；星期日或星期天，有时也叫“礼拜天”。

e. 年、月、日、星期的表示顺序是：2003年1月1日星期三。

3 “*在*”—— 动态副词。表示动作正在进行。

adding"month" to the numbers one to twelve. For example: 一月, January; 五月, May; 十月, October; 十二月, December.

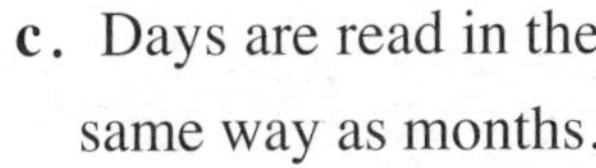

c. Days are read in the same way as months. Add" 日 " or" 号 " after the number. (" 日 " is usually used in written language; while"号" is more often used in spoken language.) For example: 1 月 1 日, first of January; 5 月 1 日, first of May; 2 月 6 号(spoken), sixth of February, etc.

d. The day of the week is said by adding a number to" 星期 ". For example: 星期一 Monday, 星期二 Tuesday, 星期三 Wednesday, 星期四 Thursday, 星期五 Friday, 星期六 Saturday. Sometimes it's also referred to as 周一, 周二, 周三, 周四, 周五, 周六,周日 and so on;Sundays can be called" 星期日 "," 星期天 ", or" 礼拜天 " .

e. The proper sequence for expressing date should be: year, month, day and week,for example, 2003 年 1 月 1 日星期三.

3 "在" — *aspectual adverb*. Means that the action is still proceeding.

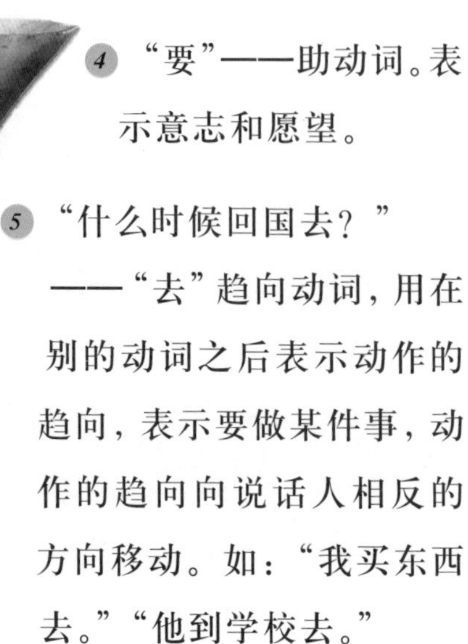

4 “要”——助动词。表示意志和愿望。

5 “什么时候回国去？”——“去”趋向动词，用在别的动词之后表示动作的趋向，表示要做某件事，动作的趋向向说话人相反的方向移动。如：“我买东西去。”“他到学校去。”

6 “多少”表示不定的数量。“呆多长时间？多少天？”表示时间长度，多少后面的量词可以省略。

4 "要" — *auxiliary verb*. Means intention and wish.

5 " 什么时候回国去?" — "*When are you going back?*", in which the" 去 " is a directional verb , used after other verbs to represent the direction or inclination of the action,indicates that in doing something, the direction of the movement or action is away from the speaker. For example,"I'm going to buy something." "He is going to school."

6 " 多少 " is given to mean uncertain numbers or quantities. Questions such as"Stay how long? How many days?" express length of time, measurement units after the" 多少 " can be left out.

zhù shì
注释

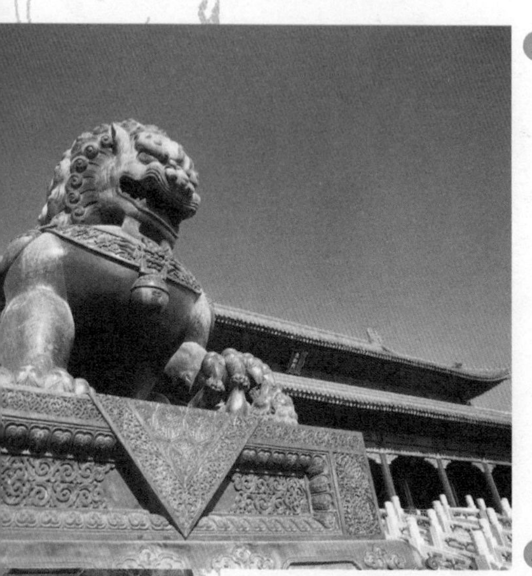

1 在中国，“上”表示之前一段时间或刚过去的一段时间，如：上半年、上学期、上个月、上星期一。“下”表示之后一段时间或即将到来的一段时间，如：下半年、下学期、下半个月、下星期五（下周五）等。

2 “打的”意思是坐出租车。

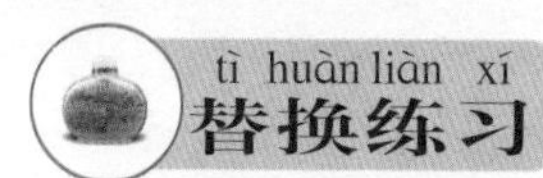

tì huàn liàn xí
替换练习

wǒ zài kàn
我在看……

wǒ zài kàn shū
我在看书。

wǒ zài kàn diàn yǐng
我在看电影。

wǒ zài kàn huà jù
我在看话剧。

wǒ zài kàn rè nao
我在看热闹。

wǒ zài kàn fēng jǐng
我在看风景。

Explanatory Notes

1 In China," 上 " means the time that's just past. For example: last half year, last term, last month, last Monday. "下" describes the time about to come. For example: next half year, next term, next fortnight, next Friday, etc.

2 " 打的 " means to take a taxi.

Substitutional Drills

I'm watching/reading/looking...

I'm reading books.

I'm watching movies.

I'm watching plays.

I'm looking at the hustle and bustle.

I'm looking at scenery.

xīng qī jǐ
星期几……

xīng qī yī
星期一

xīng qī èr
星期二

xīng qī sān
星期三

xīng qī sì
星期四

xīng qī wǔ
星期五

xīng qī liù
星期六

xīng qī tiān xīng qī rì
星期天(星期日)

wǒ yào qù mǎi
我要去买……

wǒ yào qù mǎi xiāng zi
我要去买箱子。

wǒ yào qù mǎi fāng biàn miàn
我要去买方便面

wǒ yào qù mǎi jī piào
我要去买机票。

wǒ yào qù mǎi wán jù
我要去买玩具。

wǒ yào qù mǎi shū
我要去买书。

dāi duō cháng shí jiān
呆多长时间……

wǒ yào zài jiā dāi liǎng zhōu wǔ tiān
我要在家呆两周、五天、

sān ge xīng qī bàn nián
三个星期、半年。

nà bú shì
那不是……

nà bú shì xià zhōu sān ma xià xīng qī yī ma
那不是下周三吗？下星期一吗？

tiān ma hòu tiān ma xià yuè ma
天吗？后天吗？下月吗？

Which day of the week

Monday

Tuesday

Wednesday

Thursday

Friday

Saturday

Sunday

going to buy...

going to buy a suitcase.

going to buy instant noodles.

going to buy an air ticket.

going to buy some toys.

going to buy a book.

Stay for how long...

I'm going to stay at home for two weeks, five days, three weeks, half a year.

n't that...

n't that next Wednesday? Next Monday?

omorrow? The day after tomorrow? Next month?

dì liù kè　dǎ diàn huà
第六课　打电话

huì huà
会话

A

liú jīng lǐ de bàn gōng shì
(刘经理的办公室。)

liú míng kàn wén jiàn zì yán zì yǔ de
刘明：(看文件，自言自语地

shuō xià bān le gěi fū rén dǎ
说)下班了，给夫人打

ge diàn huà qǐng tā chī fàn
个电话，请她吃饭。

wéi shì běi jīng dà xué ma qǐng
喂，是北京大学吗？请

zhuǎn èr sān èr fēn jī zhàn xiàn
转232分机。占线？

guò yí huìr zài dǎ
过一会(儿)再打。

LESSON SIX
Making Phone Calls

Dialogue

A

(Manager Liu's office.)

Liu Ming: *(Reading documents, said to himself).* It's time to finish work, give my wife a ring and invite her for dinner.

Hello, is this Peking University? Please put me through to extension 232. The line is engaged? I'll liú míng yì fēn zhōng hòu nǐ hǎo qǐng zhuǎn èr sān èr fēn jī wéi nǐ hǎo wǒ zhǎo lǐ hóng lǎo shī

刘明：(一分钟后)你好，请转232分机。喂，你好，我找李红老师。

jiǎ duì bù qǐ tā xiàn zài bú zài bàn gōng shì

甲：对不起，她现在不在办公室。

liú míng néng má fan nín gěi liú ge yán ma

刘明：能麻烦您给留个言吗？

jiǎ qǐng jiǎng

甲：请讲。

liú míng qǐng zhuǎn gào tā wǒ shì liú míng qǐng tā huí lái hòu gěi wǒ huí ge diàn huà

刘明：请转告她我是刘明。请她回来后给我回个电话。

jiǎ nín de diàn huà hào mǎ

甲：您的电话号码？

liú míng wǒ de diàn huà shì liù èr yāo bā sān sān èr bā

刘明：我的电话是62183328。

B

xiǎo jiāng zǒu jìn lǐ lǎo shī de bàn gōng shì

(小江走进李老师的办公室。)

xiǎo jiāng méi rén xiān dǎ ge diàn huà liù bā qī jiǔ liù yāo liù èr

小江：没人，先打个电话·68796162。

call back shortly.

Liu Ming: *(after a minute)* Hello, please put me through to extension 232. Hello, I'd like to speak to Teacher Li Hong.

A : Sorry, she's not in the office right now.

Liu Ming: Could you please leave a message for her?

A : Please go on.

Liu Ming: Please tell her that I'm Liu Ming and ask her to call me back.

A : Your phone number?

Liu Ming: My phone number is 62183328.

B

(Xiao Jiang walks into Teacher Li's office.)

Xiao Jiang: Nobody's here, I'll make a call... 68796162.

wéi wéi zěn me méi shēng yīn a wǒ zài bō
喂，喂，怎么没声音啊！我再拨

yí cì hào mǎ liù bā qī jiǔ liùyāoliù èr
一次号码，68796162。

wéi wéi kàn kan diàn huà zěn me huí shìr
喂，喂，(看看电话)怎么回事(儿)，

lián máng yīn dōu méi yǒu a wǒ zài shì shi
连忙音都没有啊？我再试试……

lǐ hóng zǒu jìn lái xiǎo jiāng nǐ zài gàn shén me ne
李红：(走进来)小江，你在干什么呢？

xiǎo jiāng lǐ lǎo shī wǒ zài dǎ diàn huà ne kě shì zǒng yě
小江：李老师，我在打电话呢！可是总也

dǎ bù tōng
打不通。

lǐ hóng xiǎo jiāng zhè zhǐ shì bù diàn huà jī nǐ kàn diàn
李红：小江，这只是部电话机。你看，电

huà xiàn hái méi zhuāng ne
话线还没装呢！

xiǎo jiāng á
小江：啊？

Hello, hello, how come there's no sound! I'll dial the number again, 68796162. Hello, hello, *(looks at phone)* what's the matter, there's not even a busy tone? I'll try again...

Li Hong: *(walks in)* Xiao Jiang, what are you doing?

Xiao Jiang: Teacher Li, I'm making a phone call! But I can't get through.

Li Hong: Xiao Jiang, this is only a telephone handset. Look, the cord hasn't even been plugged in yet!

Xiao Jiang: Uh?

C

diàn huà tíng páng
（电话亭旁）

xiǎo jiāng wéi shì yāo yāo sì ma qǐng bāng wǒ chá yí xiàr
小江：喂，是114吗？请帮我查一下(

cháng chéng fàn diàn de diàn huà hào mǎ xiè x
长城饭店的电话号码。……谢谢

bō hào
（拨号）

jiǎ cháng chéng fàn diàn wǒ néng wèi nǐ zuò xiē shén me
甲：长城饭店，我能为你做些什么

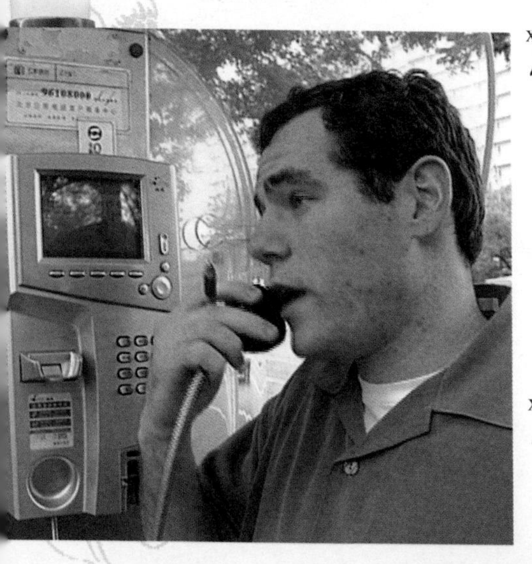

xiǎo jiāng wéi nǐ hǎo qǐng zh
小江：喂，你好。请

wǔ èr liù fáng jiān
526房间。

jiǎ duì bù qǐ fáng jiān
甲：对不起，房间

yǒu rén
有人。

xiǎo jiāng nà wǒ kě yǐ liú yán ma
小江：那我可以留言吗？

jiǎ kě yǐ
甲：可以。

xiǎo jiāng xiè xie qǐng zhuǎn gào fáng jiān de kè ren gěi wǒ h
小江：谢谢。请转告房间的客人给我

diàn huà wǒ jiào xiǎo jiāng diàn huà hào mǎ
电话，我叫小江，电话号码

liù qī qī qī qī yāo líng yāo
6777101。

(Next to the phone booth.)

Xiao Jiang: Hello, is this 114?Can you please look up the phone number for the Great Wall Hotel?... Thank you.

(dials number)

A : Great Wall Hotel, how can I help you?

Xiao Jiang: Hello, please transfer me to room 526.

A : Sorry, no one is in the room.

Xiao Jiang: Then could I leave a message?

A : Sure.

Xiao Jiang: Thank you. Please tell the guest to return my call, my name is Xiao Jiang, the phone number is 67777101.

chánɡ yònɡ yǔ jù
常用语句

gěi fū rén dǎ ge diàn huà
给夫人打个电话。

shì běi jīnɡ dà xué ma
是北京大学吗？

qǐnɡ zhuǎn èr sān èr fēn jī
请转232分机。

tā xiàn zài bú zài bàn gōnɡ shì
她现在不在办公室。

nénɡ má fan nín gěi liú ge yán ma
能麻烦您给留个言吗？

qǐnɡ zhuǎn gào tā wǒ shì liú mínɡ
请转告她我是刘明。

wǒ de diàn huà shì liù èr yāo bā sān sān èr bā
我的电话是62183328。

wǒ zài bō yí cì hào mǎ
我再拨一次号码。

wǒ zài shì shi
我再试试。

wǒ zài dǎ diàn huà
我在打电话。

zǒnɡ yě dǎ bù tōnɡ
总也打不通。

zhè zhǐ shì bù diàn huà jī
这只是部电话机。

zěn me huí shì
怎么回事？

 Common Expressions

Give my wife a call.

Is this Peking University?

Please give me extension 232.

She's not in the office right now.

Could I please leave a message?

Please tell her I'm Liu Ming.

My phone number is 62183328.

I'll try dialing the number again.

I'll try again.

I'm on the phone.

I can't get through.

This is only a telephone set.

What's the matter?

shēng cí 生词

fū rén 夫人

diàn huà 电话

wǎn fàn 晚饭

běi jīng dà xué 北京大学

fēn jī 分机

qǐng zhuǎn 请转

zhàn xiàn 占线

wéi 喂

má fan 麻烦

xiàn zài 现在

bàn gōng shì 办公室

liú yán 留言

qǐng jiǎng 请讲

zhuǎn gào 转告

huí lái 回来

xiān 先

zěn me 怎么

shēng yīn 声音

bō 拨

zài 再

zěn me huí shì 怎么回事

máng yīn 忙音

shì shi 试试

gàn shén me 干什么

zǒng 总

bù tōng 不通

zhǐ shì 只是

diàn huà xiàn 电话线

méi zhuāng 没装

cháng chéng fàn dià 长城饭店

fáng jiān 房间

diàn huà yòng yǔ 电话用语

打电话、拨号码、忙音、转分机、打不通、占线、装电话、电话机、电话线、电话接口、电话号码、电话簿、区域号码、国内长途、国际长途、手机、电话记录、电话亭

Vocabulary

wife	leave a message	try
telephone	please go on	doing what
dinner	pass on the message	ever
Peking University	come back	can't get through
extension	first	only
please put me through to	how	phone cord
line is busy	sound	not installed
hello	dial	the Great Wall Hotel
trouble	again	room
now	what's the matter	
office	busy tone	

Telephone Talk

make a phone call, dial a number, busy tone, put through to extension, can't get through, line is engaged, install a phone, telephone handset, phone cord, phone socket, phone number, phone directory, area code, national long distance, international call, mobile phone, telephone records, telephone booth

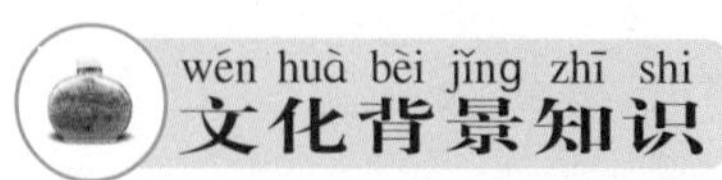

在中国如何打电话

在中国，各大城市都有电话号码簿，也就是外国所说的黄页。查号台全国统一为114，这是免费服务电话查号台，接线员会帮助你查出你所需要的机构的电话。如果你想查城市居民或个人的电话号码，查号台不能提供这样的业务，也不设此项业务。

如果你想打国内国际电话也较为方便。任何一个电话局或邮电局都有这项业务。同时，你也可以买电话卡在电话亭打电话，如：IC卡，IP卡，使用起来很方便。假如你要往中国打电话，首先要记住区号。中国大陆的区号为86。除此之外，中国大陆各地区、每个城市、

Cultural Background

How to Make Phone Calls in China

Every major city in China has its own telephone number directory, or the "Yellow Pages" referred to in other countries. The number for directory assistance is 114 throughout the country. This is a free service, where an operator will help you find a number for a company or an organization. But if you are looking for a residential number, 114 would not be able to tell you as phone books in China do not list residential numbers.

It is highly convenient to call long distance within China or overseas from China. All telecom or post offices provide the service. Alternatively, you can buy a phone card to use at phone booths, such as IC cards or IP cards, which are very easy to use. To make a long distance call into Chinese mainland, you need to know that the area code for Chinese mainland is 86 "bā liù", and that covers all of the Chinese mainland. Each city and region has their own area code, large cities like Beijing have two digit area codes, the code for Beijing for instance is 10 "yāo líng". So to dial Beijing it would be 008610 "líng líng bā liù yāo líng". If you are calling a

乡镇都有其规定的区号。如：北京为“10”，从国外往北京打电话要先拨008610，然后再拨北京本地电话即可。如果往中国杭州打电话要拨0086571，再拨杭州的本地电话。

中国的电信发展迅速，非常便利，手机随处可见，你可以租用或借用，也可以打对方付费电话。

此外，中国人接电话时常常说“喂”，实际上没有具体意义，只是说话的开始。除了大饭店或中外合资的企业，一般情况下是不自报单位的名称或接话人的姓名的。因此，要打电话，首先先弄清楚对方的电话号码。

yǔ yán diǎn 语言点

1 介词“给”可以用来引出动作、行为的接受对象，有“朝、向、对”的意思。如：我给大牛打电话。他给我一本书。

smaller city like " 杭州 " for instance, its area code is 571 "wù qī yāo". To call from overseas to "杭州", dial 0086571 "líng líng bā liù wǔ qī yāo".

The speedy development of Chinese telecommunications means that it is now one of the most mobile-connected countries in the world, where cell phones are seen and used almost everywhere. Cellular phones can also be rented. There are also direct dial numbers where by dialing a local number in China, one can reach free of charge an operator in other countries. Then the charges will occur on the other side, not in China.

When people answer the phone in China they say "喂", which doesn't have a specific meaning. It is just the way of starting off the conversation. Except for large hotels or sino-foreign joint venture companies, it is not common practice to say the receiver's name or organization's name. Therefore it makes sense to confirm the other party's telephone number first when making a call.

Language Points

1 The preposition "给" can be used to introduce the receiver of an action of behaviour, it means "to". For example, I'm making a call to Da Niu. He gave me a book.

2 "*我再试试*"和"*我再拨*"中的"*再*"和动词一起用，表示一个动作或状态将要重复或继续。如："再给他打电话。"

zhù shì 注释

1 中国人打电话的习惯是：打电话的人先问话，而不是接电话的人先报姓名。因此，经常会出现"请问，这是……公司吗？"或"这是……北京大学吗？"这样的问句。

2 电话的忙音：表示有人在通电话，占线。

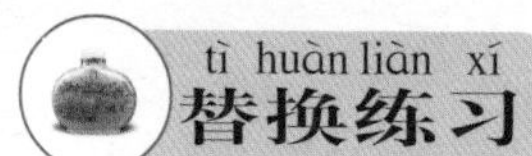

tì huàn liàn xí 替换练习

zǒng yě dǎ bù tōng
总也打不通……

zǒng yě méi xiāo xi
总也没消息。

zǒng yě bù lái
总也不来。

zǒng yě zuò bù hǎo
总也做不好。

zǒng yě shàng bú qù
总也上不去。

2 The "再" in "我再试试" – "*I'll try again.*"and "我再拨""I'll dial again." is used with a verb，denotes that an action or condition will be repeated or continued. For example, "再给他打个电话。", "Call him again."

Explanatory Notes

1 It's common practice in China for the caller to ask first, the person answering the phone does not say his or her name first. So you'll often hear questions like "Can you tell me if this is ... company?" or "Is this Peking University?" .

2 Busy tone in the telephone means that somebody is on the phone or the line is engaged.

Substitutional Drills

Can never get through...

There is never any news.

Never comes.

Can never get it right.

Can never get on it.

wǒ zài dǎ diàn huà
我在打电话

wǒ zài xiě zì
我在写字。

wǒ zài kàn shū
我在看书。

wǒ zài chàng gē
我在唱歌。

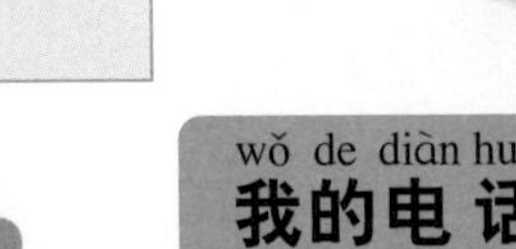

wǒ de diàn huà shì
我的电话是……

wǒ de diàn huà shì liù bā yāo qī qī èr qī sì
我的电话是68177274

wǒ de diàn huà shì liù wǔ yāo èr wǔ liù bā
我的电话是6512568

qǐng zhuǎn gào
请转告……

qǐng zhuǎn gào lǐ lǎo shī
请转告李老师。

qǐng zhuǎn gào wǒ péng yǒu
请转告我朋友。

má fan nín
麻烦您……

má fan nín gào sù wǒ
麻烦您告诉我……

má fan nín bāng wǒ yí xià
麻烦您帮我一下……

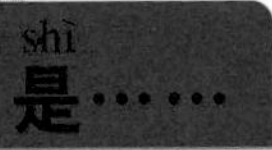

shì
是……

shì qīng huá dà xué ma
是清华大学吗？

shì lǐ lǎo shī ma
是李老师吗？

shì dà niú ma
是大牛吗？

qǐng zhuǎn
请转……

qǐng zhuǎn èr líng sān fēn jī
请转203分机。

qǐng zhuǎn wǔ yāo liù fáng jiān
请转516房间。

qǐng zhuǎn bā céng fú wù tái
请转八层服务台。

gěi
给……

gěi liú míng dǎ diàn huà
给刘明打电话。

gěi xué xiào dǎ diàn huà
给学校打电话。

I'm on the phone

I'm writing.

I'm reading a book.

I'm singing.

y phone number is...

ly phone number is 68177274.

ly phone number is 65125689.

Please tell...

Please tell Teacher Li.

Please tell my friend.

Could you please...

Could you please tell me...

Could you please help me...

is this...

Is this Tsinghua University?

Is this Teacher Li?

Is this Da Niu?

ease tranfer to...

ease transfer me to extension)3.

ease transfer me to room 516.

ease transfer me to the service sk on the 8th floor.

give...

Give Liu Ming a call.

Give the school a call.

dì qī kè　wèn lù
第七课　问路

huì huà
会话

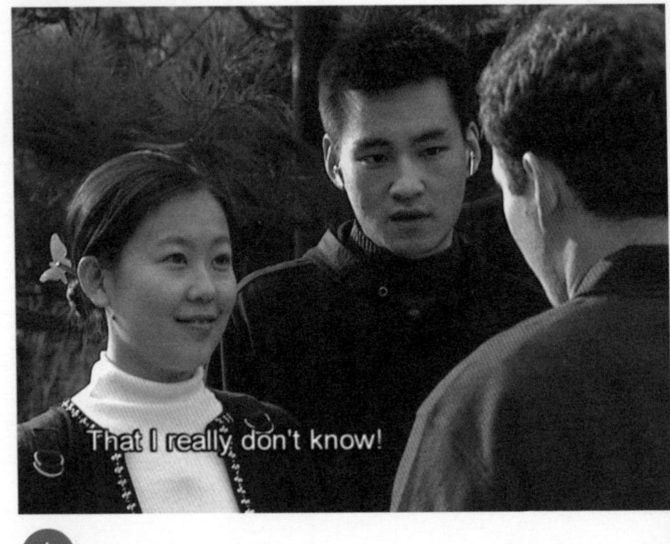

A

zài mǎ lù shang
(在马路上。)

xiǎo jiāng　láo jià　qǐng wèn wài wén shū diàn zěn me zǒu
小江：劳驾，请问外文书店怎么走？

xíng rén　wài wén shū diàn　wǒ hái zhēn bù zhī dào
行人：外文书店？我还真不知道！

tóng xíng rén　wǒ zhī dào　wài wén shū diàn jiù zài běi jīng fàn diàn de běi biān
同行人：我知道，外文书店就在北京饭店的北边。

LESSON SEVEN
Asking for Directions

Dialogue

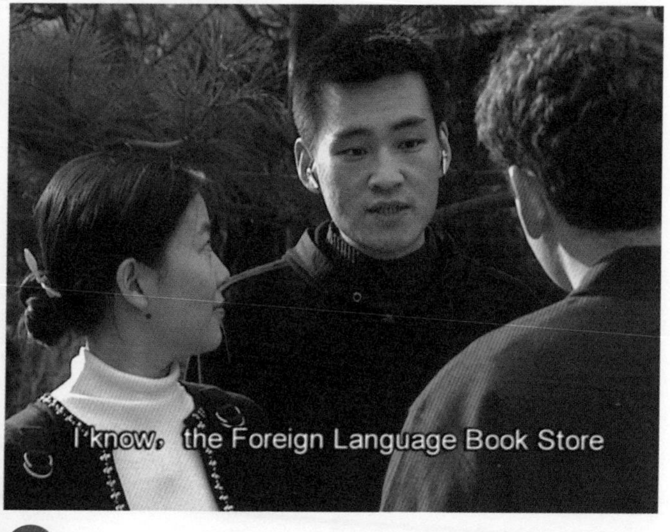

(On the road.)

Xiao Jiang: Excuse me, could you please tell me the way to the Foreign Language Book Store?

Pedestrian: Foreign Language Book Store? That I really don't know!

Other Pedestrian: I know, the Foreign Language Book Store is to the north of the Beijing Hotel.

xiǎo jiāng　běi jīng fàn diàn zài nǎr a
小　江　：北京饭店在哪(儿)啊？

xíng rén　nǐ zhī dao tiān ān mén ma
行　人　：你知道天安门吗？

xiǎo jiāng　zhī dao zhī dao
小　江　：知道，知道。

xíng rén　cóng tiān ān mén wǎng dōng dà yuē zǒu shí wǔ fēn zhōng jiù dào běi jīng fàn diàn le
行　人　：从天安门往东，大约走15分钟就到北京饭店了。

lìng yì xíng rén　wǒ zhī dao le rán hòu wǎng zuǒ guǎi zài zǒu èr shí fēn zhōng wài wén shū diàn jiù zài mǎ lù zuǒ biān
另一行人：我知道了，然后往左拐，再走20分钟，外文书店就在马路左边。

xiǎo jiāng　tài yuǎn le wǒ hái shi zuò chē ba xiè xie
小　江　：太远了，我还是坐车吧！谢谢。

Xiao Jiang: Where's the Beijing Hotel?

Pedestrian: Do you know Tian'anmen?

Xiao Jiang: Yes, I know.

Pedestrian: Walk from Tian'anmen to the east for about 15 minutes will take you to the Beijing Hotel.

Another pedestrian: I know, then turn left and walk for another 20 minutes, the Foreign Language Book Store is on the left side of the road.

Xiao Jiang: It's too far, I'd better take a taxi! Thank you!

where are you planning to go?

B

zài xué xiào xiào yuán nèi
(在学校校园内。)

lǐ hóng xiǎo jiāng míng tiān shì zhōu mò nǐ dǎ suàn qù nǎr wánr
李红：小江，明天是周末，你打算去哪(儿)玩(儿)？

xiǎojiāng lǐ lǎo shī míng tiān wǒ xiǎng qù xiù shuǐ shì chǎng mǎi dōng xi kě shì wǒ bù zhī dao xiù shuǐ shì chǎng zài nǎr
小江：李老师，明天我想去秀水市场买东西。可是，我不知道秀水市场在哪(儿)？

lǐ hóng xiù shuǐ shì chǎng nǐ shì shuō xiù shuǐ jiē ma xiù shuǐ jiē jiù zài cháng ān jiē hé měi guó dà shǐ guǎn zhī jiān
李红：秀水市场？你是说秀水街吗？秀水街就在长安街和美国大使馆之间。

xiǎojiāng wǒ xiǎng qí zì xíng chē qù
小江：我想骑自行车去。

lǐ hóng lái zhè yǒu dì tú
李红：来，这有地图。

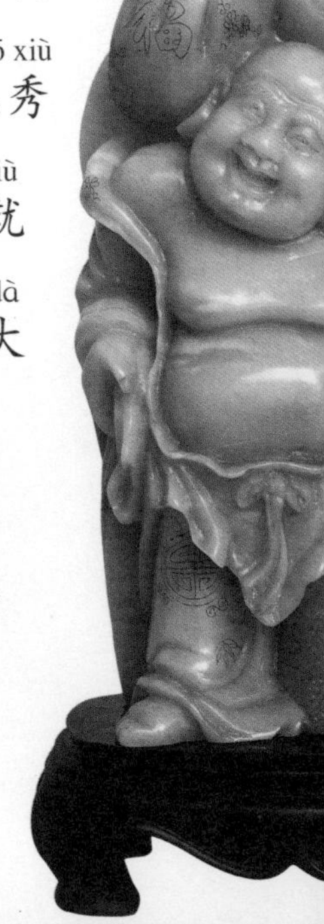

B

(In the school grounds .)

Li Hong: Xiao Jiang, tomorrow's the weekend, where are you planning to go?

Xiao Jiang: Teacher Li, I'd like to go shopping at the Xiushui Market tomorrow. But I don't know where the Xiushui Market is?

Li Hong: Xiushui Market? Do you mean Xiushui Street? Xiushui Street is just in between Chang'an Avenue and the American Embassy.

Xiao Jiang: I want to go there by bike.

Li Hong: Come, here's a map.

nǐ kàn wǒ men zài zhèr nǐ cóng
你看，我们在这(儿)，你从

xué xiào wǎng nán qí dà yuē qí sān shí
学校往南骑，大约骑30

fēn zhōng dào le cháng ān jiē hòu zài
分钟。到了长安街后，再

wǎng dōng yì guǎi jīng guò fù xīng mén
往东一拐，经过复兴门、

xī dān tiān ān mén dōng fāng guǎng
西单、天安门、东方广

chǎng sài tè dà shà yǒu yí shāng
场、赛特大厦、友谊商

diàn xiù shuǐ jiē jiù zài yǒu yí shāng
店，秀水街就在友谊商

diàn de dōng biān
店的东边。

xiǎojiāng lǐ lǎo shī wǒ kàn wǒ hái shì zuò dì tiě qù ba
小江：李老师，我看我还是坐地铁去吧！

Look, we're here, you ride southwards from the school for about 30 minutes. Once you get to Chang'an Avenue, just turn east, pass through Fuxingmen, Xidan, Tian'anmen, Oriental Plaza, Scitech Plaza, the Friendship Store, and Xiushui Street is just to the east of the Friendship Store.

Xiao Jiang: Teacher Li, I think I'd better take the subway!

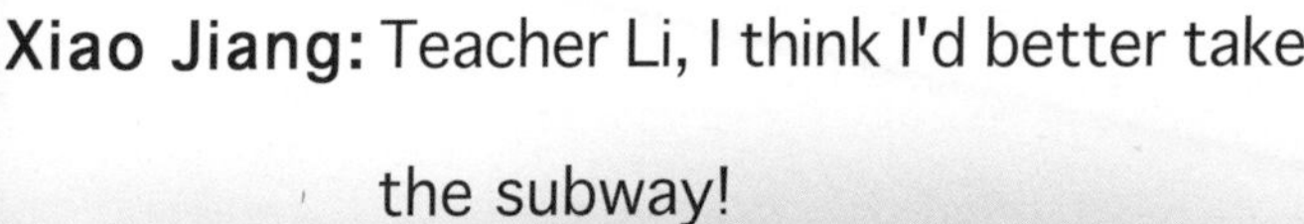

cháng yòng yǔ jù
常用语句

láo jià
劳驾

qǐng wèn wài wén shū diàn zěn me zǒu
请问外文书店怎么走？

nín zhī dao tiān ān mén ma
您知道天安门吗？

cóng tiān ān mén wǎng dōng dà yuē shí wǔ fēn jiù dào le
从天安门往东，大约15分就到了。

wǎng zuǒ guǎi
往左拐

wǎng yòu guǎi
往右拐

rán hòu wǎng zuǒ guǎi zài zǒu èr shí fēn zhōng
然后往左拐，再走20分钟。

wǒ hái shì zuò chē ba
我还是坐车吧！

tài yuǎn le
太远了。

shēng cí
生词

shū diàn 书店	fàn diàn 饭店	zuǒ 左
wài wén 外文	tiān ān mén 天安门	zuò 坐
xīn huá 新华	yòu 右	mǎ lù 马路

 Common Expressions

Excuse me

Could you please tell me how I can get to the Foreign Language Book Store?

Do you know Tian'anmen?

It's about 15 minutes going east from Tian'anmen.

Turn left

Turn right

Then turn left, walk for another 20 minutes.

I'd better take the bus!

Too far.

 Vocabulary

book store	hotel	left
foreign language	Tian'anmen	take
Xinhua	right	road

guǎi
拐

shì chǎng
市场

jiē
街

měi guó
美国

dà shǐ guǎn
大使馆

zhī jiān
之间

qí
骑

zì xíng chē
自行车

dì tú
地图

xué xiào
学校

nán
南

dōng
东

dōng biān
东边

guǎng chǎng
广场

dà shà
大厦

yǒu yí
友谊

shāng diàn
商店

dì tiě
地铁

jīng guò
经过

zhuān yǒu míng cí 专有名词

běi jīng fàn diàn
北京饭店

xiù shuǐ jiē
秀水街

dōng fāng guǎng chǎng
东方广场

sài tè dà shà
赛特大厦

yǒu yí shāng diàn
友谊商店

cháng ān jiē
长安街

turn	bicycle	plaza
market	map	friendship
street	school	store
the United States	south	subway
embassy	east	pass through
between	east side	
ride	square	

Proper Noun

Beijing Hotel

Xiushui Street

Oriental Plaza

Scitech Plaza

Friendship Store

Chang'an Avenue

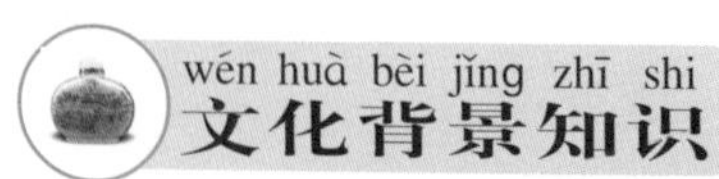

谈方向

在北京，如果迷失方向，完全不必着急。北京是个大城市，北京人对外国人都很热情。一些人还可以用英语和你交谈，告诉你如何认路。

北京是个正南正北，东西走向的城市，北京人给外地人指路时，通常会说："请往东走一百米再向北走"而不说："请往前走一百米再向左转弯"。除北京外，中国其他城市的人在给陌生人指引方向时与世界各地大致相同。

初到北京人生地不熟，也可以考虑买一张北京市区地图。在北京除了过路人会帮助认路外，还可以找路上的交警问路，他们对周围的环境非常熟悉，地铁服务人员、出租汽车司机等也都会帮助你。此

Cultural Background

Talking about Directions

There's no need to panic if you get lost in Beijing. Being a major metropolis, Beijingers are very friendly towards foreigners, some people could even give you directions in English.

When asking for directions in Beijing, notice that because Beijing is designed in a strictly North South layout, most people refer to the points of campus rather than directions like left or right. So instructions often go along the lines of "go east a hundred meters and turn north", instead of "go straight ahead and turn left". But in other cities in China as in around the world, most people will refer to left and right when giving directions.

A Beijing metropolitan area map is a good idea when you first get to Beijing and need to get around. Aside from passing pedestrians who can help you find your way, you can also seek help from the traffic police working on the streets, because they know the areas like the back of their hands. Also, people working in subway stations, taxi drivers and others can all offer assistance. Beijingers usually don't refer to streets or suburbs, so it's handy to

外，北京人一般不说街区，出门在外注意要记住大的建筑物或标志，以免迷路。

yǔ yán diǎn 语言点

1 *还是坐地铁去吧！*——“*还是*”表示经过比较考虑，引出选择。

2 *往东一拐就到了。*——用“*一……就……*”的句式，表示一种动作或情况出现后，紧接着会发生另一种动作或情况。

如：一学就会。

一看就懂。

3 动词“*在*”表示存在。用“在”时，宾语一般是方位词或表示方位的名词、代词。如：在前面、在哪儿、在右边等。

remember major buildings or landmarks when you go out, to avoid getting lost.

Language Points

1 "还是坐地铁去吧!" —"*I'd better take the subway!*" "还是" is used to show that the choice has come after consideration and comparison.

2 "往东一拐就到了。" — "*Make a turn to the east and you're there.*" Using the"一……就……" pattern means that after an action or condition occurs, immediately following another action or condition would occur.

For example:

"一学就会"。As soon as you learn you'll know how. "一看就懂"。 "As soon as you take a look you'll understand."

3 The verb"在" means to be. In using"在", the object is usually a direction word or a noun showing position. For example, in front, where, on the right, etc.

zhù shì
注释

1 汉语中常用的单纯方位词有：

上、下、左、右、

东、西、南、北、

前、后、里、外、中。

2 问路时，有人习惯用前、后、左、右。如：往前走，向左拐，在右边；有人习惯用东、西、南、北。北京地铁就用东、西、南、北。如：有人会说，路南、路东、路北、路西。除了这些外，还有一些中间方位。如：西南角、西北口、东南方向、东北口等。

tì huàn liàn xí
替换练习

láo jià
劳驾……

láo jià tiān ān mén zěn me zǒu
劳驾，天安门怎么走？

láo jià qǐng ràng yí xià
劳驾，请让一下。

láo jià wǒ yào xià chē
劳驾，我要下车。

Explanatory Notes

1 The direction words commonly used in Chinese include: 上 up, 下 down, 左 left, 右 right, 东 east, 西 west, 南 south, 北north, 前front, 后back, 里in, 外out, 中middle.

2 When asking for directions, some people are used to referring to forward, backward, left, right. For example, " 往前走 ",walk forward," 向左拐 ", turn left," 在右边 ", on the right; others are more accustomed with the directions east, west, south, north. The Beijing subway uses these four directions. For example: some would say," 路南 ", to the south of the road," 路东 ", to the east of the road," 路北 ", to the north of the road," 路西 ", to the west of the road. Aside from these, there are some mixed directions. For example: " 西南角 ", southwest corner," 西北口 ", north-west entrance," 东南方向 " southeast direction," 东北口 " northeast entrance, etc.

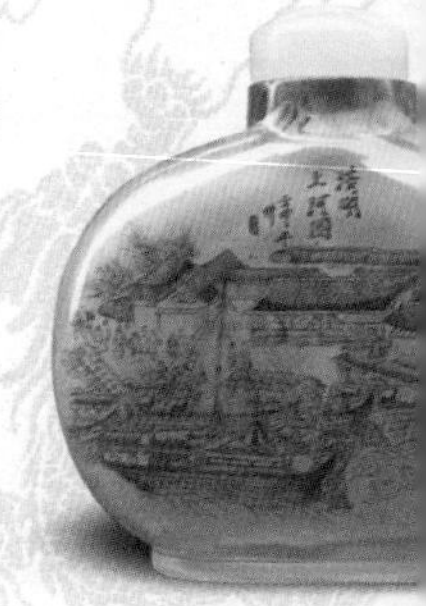

Substitutional Drills

Excuse me...

Excuse me, how do I get to Tian'anmen?

Excuse me, please let me get through.

Excuse me, I have to get off.

cóng zhèr wǎng
从这(儿)往……

cóng zhèr wǎng dōng yí huìr jiù dào le
从这(儿)往东，一会(儿)就到了。

cóng zhèr wǎng xī dà yuē wǔ fēn zhōng
从这(儿)往西，大约5分钟。

cóng zhèr wǎng xī dà yuē shí fēn zhōng
从这(儿)往西，大约10分钟。

tài le
太……了！

tiān qì tài rè le
天气太热了。

fáng jiān tài xiǎo le
房间太小了。

mǎ lù tài kuān le
马路太宽了。

xié tài dà le
鞋太大了。

gèr tài gāo le
个(儿)太高了。

wǎng zuǒ guǎi
往左拐……

wǎng zuǒ guǎi yòu biān de fáng zi jiù shì
往左拐，右边的房子就是。

wǎng zuǒ guǎi zuǒ shǒu chù jiù shì
往左拐，左手处就是。

wǎng yòu guǎi
往右拐……

wǎng yòu guǎi zuǒ shǒ
往右拐，左手

jiù shì
就是。

wǎng yòu guǎi mǎ lù
往右拐，马路

miàn jiù shì
面就是。

qí
骑……

qí zì xíng chē
骑自行车

qí mǎ
骑马

qí mó tuō chē
骑摩托车

wǒ hái shi
我还是……

wǒ hái shi qù tú shū guǎn ba
我还是去图书馆吧！

nǐ men hái shi qù cháng chéng fàn diàn ba
你们还是去长城饭店吧！

wǒ men hái shi qù xī dān ba
我们还是去西单吧！

...!

e weather's too hot.

e room's too small.

e road's too wide.

e shoe's too big.

e build is too tall.

from here to towards

It's a short while, from here towards the east.

It's about 5 minutes from here towards the west.

It's about 10 minutes from here towards the west.

n left...

n left, it's the house on the right.

n left, it's on the left hand side.

n right...

n right, it's on the left hand side.

n right, it's right across the road.

I'd better...

I'd better go to the library!

You'd better go to the Great Wall Hotel!

We'd better go to Xidan!

ride...

ride a bike

ride a horse

ride a motorbike

dì bā kè qiú zhù
第八课 求助

huì huà
会话

A

zài fàn diàn qián tái
(在饭店前台。)

liú míng duì bù qǐ wǒ xiǎng zhǎo guāng míng gōng sī de lǐ jīng lǐ
刘明：对不起，我想找光明公司的李经理。

jiǎ qǐng wèn tā zhù jǐ hào fáng jiān
甲：请问他住几号房间？

liú míng wǒ yě bù qīng chu nǐ néng bāng wǒ chá cha ma
刘明：我也不清楚，你能帮我查查吗？

jiǎ qǐng wèn lǐ jīng lǐ quán míng
甲：请问李经理全名？

LESSON EIGHT
Asking for help

Dialogue

(At the hotel reception.)

Liu Ming: Excuse me, I'm looking for Manager Li of the Guangming Company.

A : Could you please tell me his room number?

Liu Ming: I'm not sure either. Can you look it up for me?

A : What's Manager Li's full name?

liú míng　lǐ xīn　xīn jiù de xīn
刘明：李新，新旧的新。

jiǎ　nǐ hǎo　lǐ jīng lǐ zhù zài jiǔ yāo èr fáng jiān
甲：你好。李经理住在 912 房间。

liú míng　xiè xie nín
刘明：谢谢您。

jiǎ　bú kè qi
甲：不客气。

My bike's broken down, it's being fixed.

B

zài sù shè
(在宿舍。)

xiǎo jiāng　nǐ jīn tiān xià wǔ qù nǎr
小江：Tina，你今天下午去哪(儿)?

wǒ xià wǔ nǎr　yě bú qù　dǎ diàn nǎo　wǒ yào
Tina：我下午哪(儿)也不去。(打电脑)我要

bǎ lùn wén xiě wán
把论文写完。

Liu Ming: Li Xin, the Xin as in Xin Jiu.

A : OK. Manager Li is in room 912.

Liu Ming: Thank you.

A : You're welcome.

(At the dormitory.)

Xiao Jiang: Tina, where are you going this afternoon?

Tina: I'm not going anywhere this afternoon. (Typing on the computer) I have to finish my thesis.

xiǎo jiāng　nà nǐ néng bǎ zì xíng chē jiè gěi wǒ ma　wǒ de
小江：那你能把自行车借给我吗？我的

chē huài le　zhèng zài xiū
车坏了，正在修。

méi wèn tí　xiǎojiāng　gěi nǐ yào shi
Tina：没问题。小江，给你钥匙。

xiǎo jiāng　xiè xie nǐ
小江：谢谢你，Tina。

xiǎojiāng　wǒ néng má fan nǐ diǎnr　shì ma
Tina：小江，我能麻烦你点(儿)事吗？

xiǎo jiāng　shén me shì
小江：什么事？

má fan nǐ bāng wǒ mǎi yì hé ruǎn pán
Tina：麻烦你帮我买一盒软盘。

xiǎo jiāng　hǎo　yí huìr　jiàn
小江：好，一会(儿)见！

yí huìr　jiàn
Tina：一会(儿)见！

Xiao Jiang: Then can you lend me your bike? My bike's broken down, it's being fixed.

Tina: No problem. Here's the key, Xiao Jiang.

Xiao Jiang: Thank you, Tina.

Tina: Xiao Jiang, could I ask you for a favor?

Xiao Jiang: What is it?

Tina: Could you please get me a box of floppy disks.

Xiao Jiang: OK, see you soon!

Tina: See you soon!

C

zài jiā lǐ　lán lan zhèng zài xiě zuò yè　lǐ hóng xià bān

（在家里，兰兰正在写作业。李红下班

huí jiā le

回家了。）

lán lan　mā ma　nín huí lai la

兰兰：妈妈，您回来啦！

lǐ hóng　lán lan　zuò zuò yè ne ma

李红：兰兰，做作业呢吗？

lán lan　shì a　mā ma　nín néng bāng wǒ kàn kan zhè pi

兰兰：是啊，妈妈，您能帮我看看这篇

wén zhāng ma　wǒ kàn bù dǒng

文章吗？我看不懂。

lǐ hóng　děng yí xià　ná qǐ lái kàn　lán lan　shì yīng wé

李红：等一下。（拿起来看）兰兰，是英文

ya　wǒ kě bù dǒng　zhè yàng ba　wǒ qǐng xiǎo ji

呀？我可不懂。这样吧，我请小江

bāng máng

帮忙。

C

(At home, Lan Lan is doing homework. Li Hong is back from work.)

Lan Lan: Mom, you're back!

Li Hong: Are you doing your homework, Lan Lan?

Lan Lan: Yes, mom, can you have a look at this essay for me? I can't understand it.

Li Hong: Wait a minute. (Picks it up to read) Lan Lan, it's in English? That I don't understand. How's this, I'll ask Xiao Jiang for help.

lán lan　tài hǎo le
兰兰：太好了！

lǐ hóng　dǎ diàn huà xiǎo jiāng a　yǒu piān wén zhāng má fan nǐ bāng lán lan kàn kan hǎo ma　míng tiān nǐ yǒu kòngr　ma
李红：（打电话）小江啊，有篇文章麻烦你帮兰兰看看好吗？明天你有空（儿）吗？

xiǎo jiāng　lǐ lǎo shī　zhèng hǎo wǒ yě yǒu yì piān zhōng wén wén zhāng kàn bù dǒng　nín yě bāng wǒ kàn kan hǎo ma
小江：李老师，正好我也有一篇中文文章看不懂，您也帮我看看好吗？

lǐ hóng　hǎo ba
李红：好吧！

Lan Lan: That's great!

Li Hong: (makes a phone call) Xiao Jiang, could you have a look at an essay for Lan Lan? Will you be free tomorrow?

Xiao Jiang: Teacher Li, just as well I also have a Chinese essay that I can't understand, can you help me look at it?

Li Hong: OK!

cháng yòng yǔ jù
常用语句

wǒ yě bù qīng chu
我也不清楚。

bú kè qi
不客气。

nín néng bāng wǒ kàn kan hǎo ma
您能帮我看看好吗？

hǎo ba
好吧！

nǐ yǒu kòngr ma
你有空(儿)吗？

wǒ kě bù dǒng
我可不懂。

má fan nǐ bāng wǒ kàn kan
麻烦你帮我看看。

nǐ qù nǎr
你去哪(儿)？

wǒ nǎr yě bú qù
我哪(儿)也不去。

duì bù qǐ
对不起。

shén me shì
什么事？

méi wèn tí
没问题。

yí huìr jiàn
一会(儿)见！

Common Expressions

I'm not sure either.

That's alright.

Can you help me have a look at it?

Alright!

Got a minute?

That I don't understand.

Could I trouble you to have a look at it for me?

Where are you going?

I'm not going anywhere.

Sorry.

What's the matter?

No problem.

See you soon!

shēng cí 生词

guāng míng gōng sī 光明公司

qīng chu 清楚

dǒng 懂

bù dǒng 不懂

xīn 新

jiù 旧

chá 查

quán míng 全名

bú kè qi 不客气

lùn wén 论文

xiě 写

xiě wán 写完

zì xíng chē 自行车

yào shi 钥匙

jiè 借

wèn tí 问题

méi wèn tí 没问题

xiū 修

bāng 帮

bāng máng 帮忙

chē huài le 车坏了

yì hé 一盒

ruǎn pán 软盘

zuò yè 作业

zuò zuò yè 做作业

wén zhāng 文章

kàn kan 看看

zhōng wén 中文

yīng wén 英文

míng tiān 明天

yǒu kòngr 有空(儿)

zhè yàng ba 这样吧

hǎo ba 好吧

Vocabulary

Guangming Company	finish writing	diskettes
sure	bicycle	homework
understand	key	doing homework
don't understand	borrow	essay
new	problem	have a look
old	no problem	Chinese
look up	repair	English
full name	help	tomorrow
that's alright	help out	have time
thesis	the bicycle's broken down	how about this
write	a box	yes

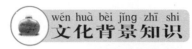

wén huà bèi jǐng zhī shi
文化背景知识

求助电话

在中国求助的方法莫过于使用电话，重要的是要记住求助的电话号码。如果您在中国旅行，而遇到麻烦，报警电话为“110”读作“yāo yāo líng”而不说“yī yī líng”；火警电话为“119”；医院的急救电话是“120”。询问准确时间的电话是“117”，咨询天气预报可以打“121”。

如同世界各地的宾馆一样，中国各地的宾馆均在房间内为旅游者配备了旅游指南、求助电话指南以及电话簿（外国人称为黄页）。

yǔ yán diǎn
语言点

1 动词重叠：表示动作的动词可以重叠，动词重叠表示动作短暂或轻松。第二个音节读轻声。如：问问、看看、查查、帮帮、修修、说说等。

Cultural Background

Help Is Only A Phone Call Away

In China as in elsewhere help is often no further than a phone call away. But it is important to know what number to call. For example, the number to call for a general emergency is 110. In Chinese we say:"yāo yāo líng". Note that we don't say: "yī yī líng". But for the fire department call"yāo yāo jiǔ" 119. Medical help can be reached by calling"yāo èr líng" 120. The exact time can be ascertained by calling"yāo yāo qī" 117. Weather forecasts are available on"yāo èr yāo" 121.

Like elsewhere in the world, Chinese hotels supply travel guides, helpful phone numbers and phone books.

Language Points

1. Repeated verbs: active verbs can be repeated, verbs repeated stress the action is brief or casual. The second syllable has a weak and short pronunciation. For example:" 问问 " ask around, "看看" have a look, "查查" look it up,"帮帮" do

2 能愿动词：如："会、能、要"，经常放在动词或动词性成分前面，表示能够或愿望等，否定式是"不会、不能、不要"等，如：不会修、不能去、不要接电话。

3 "*吧*"字句：和用在疑问句尾的"吧"不同，用在陈述句尾的"吧"表示商量、请求、命令的预期，主语常常是"你"。例如：你说吧！帮帮忙吧！问问他吧！

4 "*麻烦*"—— 动词。在"麻烦您帮忙"里，"您"既是"麻烦"的宾语"麻烦您"，又是"帮忙"的主语。"麻烦您借我钥匙。""麻烦您帮我修自行车。"

5 "*不*"放在动词前表示否定。如；不会、不能、不懂。"会""能"是助动词。

6 "会"、"*能*"是主动词。

a favour,"修修" give it a fix,"说说" tell us about it, etc.

2 Modal verbs to denote will and desire, for example, "会, 能, 要", or"will, can, want" are usually used in front of verb to show ability or desire. To negate, use" 不会, 不能, 不要 " etc. For example: " 不会修 ", don't know how to fix," 不能去 ", can't go, " 不要接电话 ", don't answer the phone.

3 The" 吧 " sentences: unlike the" 吧 " used at the end of questions, if placed at the end of a narrative sentence, the" 吧 " adds expectations about the request or command. The subject is usually" 你 " or"you". For example," 你说吧!" You tell me! " 帮帮忙吧!" Give us some help! " 问问他吧!" Ask him!

4 " 麻烦 " —— "trouble" is a verb. In"Could you please help"," 您 " is both the object for " 麻烦 ", and the subject for" 帮忙 ". For example," 麻烦你借钥匙给我 ", could you please lend me the key. "麻烦你帮我修车" could you please help me fix the bicycle.

5 " 不 " in front of a verb negates the action. For example:"不会", don't know how,"不能", cannot, "不懂", don't understsand."会" and"能" are auxiliary verbs.

zhù shì
注释

1 “不客气”：当别人向你表示感谢时，你可以用“不客气”来回答。

2 “没问题”：表示痛快地回答或没有任何困难，如：“麻烦您帮帮我，好吗？”……“没问题！”

3 “好吗？”：询问对方是否许可，也可以说“好不好？”。肯定的回答是“好吧！”，否定的回答是“不行。”

tì huàn liàn xí
替换练习

wǒ yě
我也……

wǒ yě bù dǒng
我也不懂。

wǒ yě bù xíng
我也不行。

wǒ yě bú huì
我也不会。

Explanatory Notes

1 " 不客气 " — "You're welcome". When others express their gratitude, you can reply with" 不客气 " .

2 " 没问题 " — "No problems.". To give an outright answer or express there is clearly no difficulty. For example,"Could you please help me?" ..."No problems!"

3 " 好吗?" — "Alright?". Enquires if the other party is in agreement or gives permissions, you can also use"好不好?" . The affirmative answer is"好吧!", while a negative reply would be" 不行 ".

Substitutional Drills

I...either

I don't understand either.

I can't do it either.

I don't know how either.

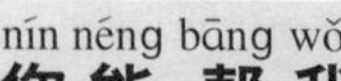

nín néng bāng wǒ
您能帮我……

nín néng bāng wǒ xiū xiu ma
您能帮我修修吗？

nín néng bāng wǒ kàn kan ma
您能帮我看看吗？

nín néng bāng wǒ chá cha ma
您能帮我查查吗？

má fan nín néng bāng wǒ
麻烦您能帮我……

má fan nín néng bāng wǒ yí xià ma
麻烦您能帮我一下吗？

má fan nín néng bāng wǒ kāi yí xià mén ma
麻烦您能帮我开一下门吗？

wǒ kě bú huì
我可不会……

wǒ kě bú huì xiě
我可不会写。

wǒ kě bú huì chàng
我可不会唱。

wǒ kě bú huì qí
我可不会骑。

nǐ qù nǎr
你去哪(儿)……

huí dá wǒ qù dān wèi
回答：我去单位。

wǒ qù shāng dià
我去商店

wǒ qù chē zhàn
我去车站。

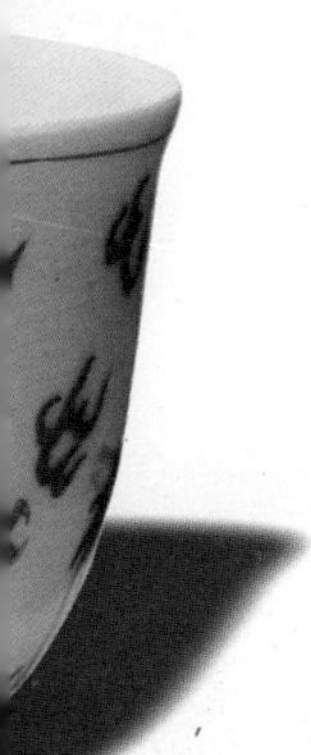

Can you help me...

Can you help me repair it?

Can you help me have a look?

Can you help me look it up?

Could you please help me...

Could you please help me out?

Could you please help me open the door?

at I don't...

at I don't know how to write.

at I don't know how to sing.

at I don't know how to ride.

'here are you going?

ıswer: I'm going to work.

I'm going to the shop.

I'm going to the station.

dì jiǔ kè jiǎn féi
第九课 减肥

huì huà
会话

Xiao Jiang，what are you doing now?

A

xué xiào tǐ yù guǎn
(学校体育馆。)

xiǎo jiāng nǐ zài gàn shén me
Tina：小江，你在干什么？

xiǎo jiāng jiǎn féi
小江：减肥。

jiǎn féi nǐ bú pàng a
Tina：减肥？你不胖啊！

xiǎo jiāng nǐ bù zhī dào wǒ yì chī ròu jiù pàng
小江：你不知道，我一吃肉就胖。

shén me nà nǐ pàng le jǐ jīn
Tina：什么？那你胖了几斤？

LESSON NINE
Losing Weight

Dialogue

A

(School gymnasium.)

Tina : Xiao Jiang, what are you doing now?

Xiao Jiang: Trying to lose weight.

Tina : Lose weight? But you're not fat!

Xiao Jiang: You don't know, as soon as I eat meat I get fat.

Tina : What? Then how much weight have you gained?

xiǎo jiāng yì xīng qī jiù pàng le wǔ jīn
小江：一星期就胖了五斤。

yí ge xīng qī wǔ jīn
Tina：一个星期五斤？

xiǎo jiāng shì a kě shì wǒ yí duàn liàn jiù shòu xià lái le
小江：是啊，可是我一锻炼就瘦下来了。

hǎo nà xià xīng qī wǒ kàn nǐ yǒu duō zhòng
Tina：好，那下星期我看你有多重。

xiǎo jiāng fàng xīn xià xīng qī bǎo zhèng jiǎn diào bā jīn
小江：放心，下星期保证减掉八斤。

chuī niú
Tina：吹牛！

B

zài jiā lǐ
（在家里。）

liú míng lǐ hóng kuài lái bāng bang wǒ
刘明：李红，快来帮帮我！

lǐ hóng lái le zhè me dà de xī guā
李红：来了，这么大的西瓜！

lán lan á wǒ dì yī cì kàn jiàn zhè me dà de xī guā duō shǎo jīn a
兰兰：啊，我第一次看见这么大的西瓜，多少斤啊？

liú míng bié shuō nǐ wǒ yě shì dì yī cì mǎi zhè me dà de
刘明：别说你，我也是第一次买这么大的

Xiao Jiang: Five jin's in a week.

Tina : Five jin's in a week?

Xiao Jiang: Yes, but I lose it as soon as I exercise.

Tina : OK, then we'll see how much you weigh next week.

Xiao Jiang: Don't worry, I'm sure I can lose eight jin's in the next week.

Tina : Bragging!

B

(At home.)

Liu Ming: Li Hong, come and help me, quick!

Li Hong: Coming, what a huge watermelon!

Lan Lan: Oh, that's the first time I've ever seen such a big watermelon. How many jin's does it weigh?

Liu Ming: Not just you, it's the first time I've

Li Hong, come and help me, quick!

xī guā
西瓜。

lǐ hóng　zhè guā duō shǎo jīn
李红：这瓜多少斤？

liú míng　zhì shǎo shí bā jīn bā liǎng
刘明：至少 18 斤 8 两。

lǐ hóng　zhè me zhòng de guā nǎr mǎi de
李红：这么重的瓜哪(儿)买的？

liú míng　zhè shì yì jiā gōng sī yán jiū chū de xīn pǐn zhǒng
刘明：这是一家公司研究出的新品种，

sòng gěi wǒ cháng chang
送给我尝尝。

lán lan　bù zhī dào tián bù tián
兰兰：不知道甜不甜。

liú míng　nà zán men cháng chang
刘明：那咱们尝尝？

bought such a big watermelon.

Li Hong: How many jin's does it weigh?

Liu Ming: At least 18.8 jin's.

Li Hong: Where did you buy such a heavy watermelon?

Liu Ming: It's a new variety, the product of research from a company, they gave it to me to taste.

Lan Hong: I don't know if it's sweet or not.

Liu Ming: Then how about we have a taste?

chánɡ yònɡ yǔ jù
常用语句

yī jiù
一……就……

wǒ yì chī jiù pànɡ
我一吃就胖。

tián bù tián
甜不甜

bú zhī dào zhè ɡe xī ɡuā tiān bù tiān
不知道这个西瓜甜不甜？

duō shao jīn a
多少斤啊？

zhì shǎo shí bā jīn bā liǎnɡ
至少18斤8两

zhè me zhònɡ de ɡuā nǎr mǎi de
这么重的瓜哪(儿)买的？

shēnɡ cí
生词

jiǎn féi
减肥

pànɡ
胖

duàn liàn
锻炼

shòu
瘦

mǎ shànɡ
马上

fànɡ xīn
放心

jiǎn diào
减掉

duō shǎo jīn
多少斤

zhì shǎo
至少

yán jiū
研究

pǐn zhǒnɡ
品种

chánɡ chanɡ
尝尝

dì yī cì
第一次

xī ɡuā
西瓜

tián
甜

sònɡ
送

bǎo zhènɡ
保证

ròu
肉

Common Expressions

As soon as...

As soon as I eat I get fat.

Sweet or not

I don't know if this watermelon is sweet or not.

How many jin's does it weigh?

At least 18.8 jin' s

Where did you buy such a heavy watermelon?

Vocabulary

lose weight	lose	first time
fat	how many jin's	watermelon
exercise	at least	sweet
thin	research	give
right away	variety	I'm sure
don't worry	taste	meat

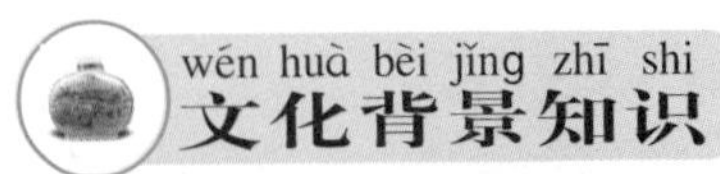

重量的比较和健身

在中国，人们称重量的单位一般为“斤”。在英语里的计量单位中没有“斤”。中国的一斤重量等于500克，也就是0.5千克。所以，中国的计量单位中2斤就是世界通用的1千克。

如果在中国您听到有人说：“这孩子真胖。”理解其中的真正含义有多种。一般情况下，人们的理解是这孩子很健康。但随着中国的生活水平不断提高，人们忽略了饮食要节制和加强锻炼身体这一生活中保持身体健康的重要因素，开始无节制的吃，体形开始发胖，因此，“真胖”也就真的指“人太胖了”。

Cultural Background

Different Weight Measures and The Fitness Fever

In China the commonly used measurement of weight is a jin. While there is no English corresponding measurement to a Jin, by coincidence, a Jin is exactly equal to 500 grams, which is half a kilogram. So there are two jin's in a kilogram. To differentiate between the two commonly used measurements, a kilogram is called"公斤" or metric jin in Chinese.

Traditionally in China, if someone said:"这个孩子真胖。" "This child is really fat." That would be considered a compliment because being fat is associated with being healthy, especially for children. But as the standard of living has risen in China, obesity has become a health problem, and people are realizing that being fat is not always good. "真胖" is now given to mean"人太胖了" or no longer complimentary. The increasingly health-conscious Chinese have turned to gyms for weights or aerobic exercises. Many sports enjoy widespread popularity in China such as soccer,"足球", or badminton"羽毛球", as well as basketball"篮球",jogging"跑步", swimming"游泳" and mountain-climbing"爬山".

目前，一些中国人开始意识到身体发胖并不是一件好事，开始了有意识的健身运动。有的人开始做运动操、打羽毛球、打篮球、踢足球、跑步、游泳、爬山等；还有的人到公园集体练习太极拳、到体育馆用健身器锻炼身体。随着北京申办奥运的成功，北京人越来越注重体育锻炼，身体素质不断提高。

yǔ yán diǎn 语言点

“一……就……”

a. 有时表示两件事紧接发生。

如：他一进校园就看见李老师了。

b. 有时候前一分句表示条件，后一分句表示结果。

如：他一高兴就唱歌。

他一生气就不说话了。

Moreover, a host of traditional activities are favored by Chinese people. In any park, you will find many people practising Taichi, which is called" 太极拳 " or shadow boxing. Now with Beijing having won the bid to host the 2008 Olympic Games, people are more motivated than ever to eat well, enjoy sports and get fit.

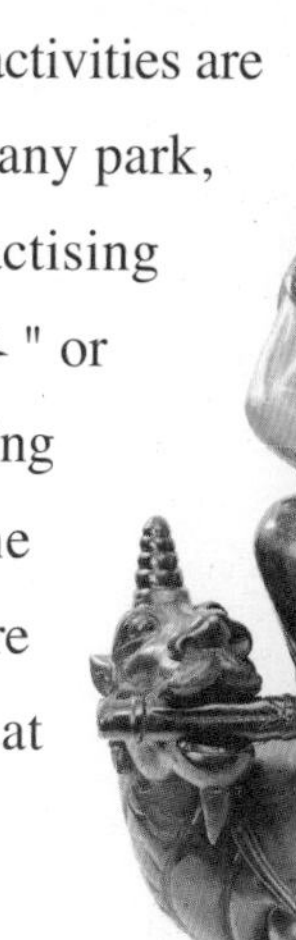

Language Points

" 一……就……" as soon as... or whenever...

a. Sometimes to indicate two occurrences in quick succession.

For example:

" 一进学校他就看见李老师了 "。

As soon as he entered the school he saw Teacher Li.

b. Sometimes the first part states the condition, while the latter part indicates the outcome.

For example:

" 他一高兴就唱歌 ",

Whenever he's happy he sings.

" 他一生气就不说话 ",

Whenever he's angry he shuts up.

zhù shì
注释

“几”和“多少”都用来提问数目。如果预计数目在十以下，用“几”提问；如果预计数目在十以上，用“多少”提问。“多少”可以提问任何数目。“几”和名词之间必须用量词，如：“你有几个姐妹？”。“多少”后边可以用量词，也可以不用，如：“你有多少个姐妹？”“你有多少姐妹？”。

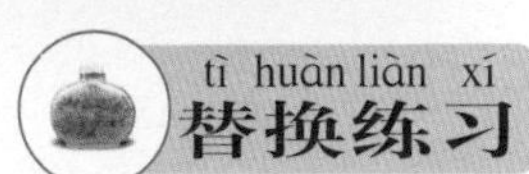

tì huàn liàn xí
替换练习

tián bù tián
甜不甜……

zhè ge dàn gāo tián bù tián
这个蛋糕甜不甜？

zhè yǐn liào tián bù tián
这饮料甜不甜？

zhè guā tián bù tián
这瓜甜不甜？

zhè kuài qiǎo kè lì tián bù tián
这块巧克力甜不甜？

Explanatory Notes

" 几 " and" 多少 " ("how many" and"how much") are both to ask about numbers. If it's estimated that the number is under ten, use" 几 " in the question; if the number is expected to be over ten, use" 多少 " to ask. " 多少 " can be used for any quantity. Measurement words must be used between" 几 " and the noun, for example:"How many sisters do you have?". Whereas after the" 多少 " you can choose to use the measurement word or not use it. For example,"你有多少个姐妹?" and"你有多少姐妹?"—both mean"How many sisters do you have?".

Substitutional Drills

Sweet or not...

Is this cake sweet or not?

Is this drink sweet or not?

Is the melon sweet or not?

Is this chocolate sweet or not?

yī jiù
一……就……

yí dào xīng qī tiān jiù xiǎng shuì lǎn jiào
一到星期天就想睡懒觉。

yì hē kā fēi jiù shuì bù zháo jiào
一喝咖啡就睡不着觉。

yí fàng jià jiù huí jiā
一放假就回家。

yì yǒu wǔ huì jiù cān jiā
一有舞会就参加。

yì yǒu qián jiù xiǎng huā
一有钱就想花。

zhòng bú zhòng
重不重……

zhè ge bāo zhòng bú zhòng
这个包重不重？

zhè tǒng shuǐ zhòng bú zhòng
这桶水重不重

zhè ge xiāng zi zhòng bú zhò
这个箱子重不

As soon as.../whenever...

As soon as it's Sunday I feel like sleeping in.

Whenever I drink coffee I can't get to sleep.

As soon as the holidays start I'm going home.

Whenever there's a party I want to attend.

Whenever I have money I want to spend it.

Heavy or not...

Is this bag heavy or not?

Is this bucket of water heavy or not?

Is this suitcase heavy or not?

dì shí kè fù xí
第十课 复习
Lesson Ten Revision

huì huà liàn xí
会话练习

（以下是根据第一课至第九课内容所设置的会话。）

Hello, in today's lesson we're going to go back and review all of the material that we've covered to date...

第一课

liú míng mì shū zǒu guò lái
（刘明、秘书走过来。）

liú míng dà shān nǐ hǎo
刘明：大山，你好！

dà shān liú jīng lǐ nǐ hǎo
大山：刘经理，你好！

mì shū dà shān zǎo shang hǎo
秘书：大山，早上好！

dà shān　zǎo shang hǎo
大山：早上好！

dà shān
大山：So as I was saying...

xiǎo jiāng zǒu guò lái
（小江走过来。）

xiǎo jiāng　dà shān　chī le ma
小江：大山，吃了吗？

dà shān　méi chī ne　zěn me nǐ dǎ suàn qǐng wǒ
大山：没吃呢！怎么你打算请我？

xiǎo jiāng　dà shān　nǐ bú huì bù zhī dào ba　zài zhōng guó　chī le ma　jiù shì　nǐ hǎo　de yì si
小江：大山，你不会不知道吧？在中国，"吃了吗？"就是"你好！"的意思。

dà shān　wǒ dāng rán zhī dao le　wǒ bú jiù shì xiǎng ràng nǐ qǐng kè ma
大山：我当然知道了，我不就是想让你请客嘛！

So, the first subject we are going to review is greetings. Let's go back to the dialogues and see what we've learned to date.

第二课

Now let's review the lesson where we are talking about introductions.

lán lan zǒu guò lái
(兰兰走过来。)

lán lan　dà shān shū shu　wǒ lái xiàng nín jiè shào yí xià wǒ de liǎng wèi xīn péng you
兰兰：大山叔叔，我来向您介绍一下我的两位新朋友。

dà shān　tā men shì shuí a
大山：他们是谁啊？

lán lan　zhè wèi shì qǐ é bó shì
兰兰：这位是企鹅博士。

dà shān　nǐ hǎo
大山：你好！

lán lan　zhè wèi shì wǒ de xiǎo dì di
兰兰：这位是我的小弟弟。

dà shān　tā jiào shén me
大山：他叫什么？

lán lan　tā jiào dà tóu
兰兰：他叫大头。

dà shān　dà tóu　rèn shi nǐ hěn gāo xìng
大山：大头，认识你很高兴。

lán lan　wǒ yě shì
兰兰：我也是。

Ok, why don't we go back to the dialogues and look through them from the top, and talk about introductions.

第三课

Communicate in Chinese
Communicate in Chinese
交际汉语
Forty is forty, fourteen is fourteen……

xiǎo jiāng　dú　zì　zài liàn rào kǒu lìng
(小江　独自在练绕口令。)

xiǎo jiāng　sì shí shì sì shí　shí sì shì shí sì
小江：四十是四十，十四是十四……

dà shān zǒu guò lái
(大山走过来。)

dà shān　xiǎo jiāng　nǐ zài gàn shén me ne
大山：小江，你在干什么呢？

xiǎo jiāng　dà shān　lǎo shī ràng wǒ liàn rào kǒu lìng　kě shì wǒ lǎo shì shuō bù hǎo a
小江：大山，老师让我练绕口令，可是我老是说不好啊？

dà shān　nǐ kàn　zhè dōu shì yǒu guān de shù zì　shí sì shì shí sì　sì shí shì sì shí　zhèng hǎo xià miàn wǒ men yào fù xí shù zì
大山：你看，这都是有关的数字，十四是十四，四十是四十，正好下面我们要复习数字。

xiǎo jiāng　hǎo de
小江：好的。

So, let's take a look at the dialogues again.

第一课至第三课结束语

dà shān　mì shū　lán lan　xiǎo jiāng sì rén
(大山、秘书、兰兰、小江四人。)

Well, I am afraid that's all the time we have for today. Today we reviewed many of the topics that we've covered in previous lessons. We talk about things like:

mì shū　wèn hòu
秘书：问候。

dà shān
大山：Greetings.

lán lan　jiè shào
兰兰：介绍。

dà shān
大山：Introductions.

xiǎo jiāng　sì shí shì sì shí　shí sì shì shí sì　shù zì
小江：四十是四十，十四是十四，数字。

And numbers. We've got new lessons prepared for you next time, so make sure you don't miss it. Until then, good bye!

第四课

交际汉语
Communicate in
Why, did your watch stop too?

dà shān　yōu　huài le　wǒ de biǎo tíng le
大山：哟，坏了，我的表停了。

liú míng　dà shān　nǐ hǎo a
刘明：大山，你好啊！

dà shān　liú jīng lǐ　nǐ hǎo　xiàn zài jǐ diǎn le
大山：刘经理，你好！现在几点了？

liú míng　yì diǎn bàn le
刘明：一点半了。

dà shān　yì diǎn bàn　wǒ děi gǎn jǐn dào jī chǎng jiē wǒ mā
大山：一点半？我得赶紧到机场 接我妈！

liú míng　ō　nà nǐ yào gǎn jǐn qù　wǒ shàng cì jiē wǒ
刘明：噢，那你要赶紧去，我上次接我

bà jiù chà diǎnr　wǎn le
爸就差点(儿)晚了。

dà shān　wèi shén me　nǐ de biǎo yě tíng le
大山：为什么？你的表也停了？

liú míng méi yǒu nǐ kàn kan xiàn mian de duì huà jiù míng
刘明：没有，你看看下面的对话就明

bai le
白了。

Ok, let's look at the dialogues, when we are talking about time.

第五课

liú míng dú zì kàn gǔ dǒng
（刘明独自看古董。）

交际汉语
Communicate in Chi
Oh, don't ask, I wasn't late,

dà shān liú jīng lǐ
大山：刘经理。

liú míng dà shān jiē dào nǐ mā le ma
刘明：大山，接到你妈了吗？

dà shān āi ya bié tí le wǒ dào shì
大山：哎呀，别提了，我倒是

méi chí dào rì zi jì cuò le
没迟到，日子记错了。

liú míng hài nǐ ya
刘明：咳，你呀！

Ok, let's look at the dialogues, when we are talking about dates.

第六课

lán lan dà shān shū shu tīng shuō nǎi nai cóng jiā ná dà lái
兰兰：大山叔叔，听说奶奶从加拿大来

jīng le wǒ hé bà ba mā ma xiǎng ràng tā lái
京了，我和爸爸、妈妈想让她来

men jiā chī jiǎo zi
们家吃饺子。

dà shān xiè xie lán lan děng wǒ dǎ wán diàn huà
大山：谢谢兰兰，等我打完电话。

lán lan dà shān shū shu nín dǎ diàn huà zěn me bù shuō huà a
兰兰：大山叔叔，您打电话怎么不说话啊

dà shān yīn wei wǒ dǎ de shì yāo èr yāo
大山：因为我打的是121。

lán lan yāo èr yāo
兰兰：121？

dà shān tiān qì yù bào
大山：天气预报。

Ok, let's go back to the dialogues, when we are talking about making a telephone call and do some review.

第四课至第六课结束语

Well, that's all the time we have for today. In today's lesson we went over the dialogues from previous lessons. We reviewed the topic like:

liú míng　shí jiān
刘明：时间。

dà shān
大山：Time.

liú míng　rì qī
刘明：日期。

dà shān
大山：Dates.

lán lan　dǎ diàn huà
兰兰：打电话。

And making phone calls. We've got new lessons prepared for you next time, so make sure you don't miss it. Until then, good-bye!

第七课

交际汉语
Communicate in Chinese
问路
两元
I know where it is, it's over there.

xiǎo jiāng zài bǎi fàng lù pái wèn lù liǎng yuán
(小江 在摆放路牌“问路两 元”。)

liú míng qǐng wèn qù jī chǎng zěn me zǒu a
刘明：请问，去机场 怎么走啊？

xiǎo jiāng wǒ bù zhī dào
小江：我不知道。

xiǎo dīng qǐng wèn qù xī dān zěn me zǒu a
小丁：请问，去西单怎么走啊？

xiǎo jiāng nǐ qù nǎr a
小江：你去哪(儿)啊？

xiǎo dīng xī dān
小丁：西单。

xiǎo jiāng wǒ bù zhī dào
小江：我不知道。

dà shān qǐng wèn wài wén shū diàn zěn me zǒu
大山：请问，外文书店 怎么走？

xiǎo jiāng wài wén shū diàn wǒ jiù zhī dào wài wén shū diàn
小江：外文书店？我就知道外文书店，

nà ge jiù shì
那个就是。

dà shān tā zěn me jiù zhī dào wài wén shū diàn zài nǎr
大山：他怎么就知道外文书店在哪(儿)，

kàn kan duì huà jiù zhī dào le
看看对话就知道了。

Ok, let's see the dialogues now, when we are talking about asking for directions.

第八课

dà shān zài dǎ diàn huà
(大山在打电话。)

lán lan dà shān shū shu nín
兰兰：大山叔叔，您

zài gàn shén me ne
在干什么呢？

Can you get Jiang Kun's autograph for me?

dà shān wǒ zài xiě yì piān wén
大山：我在写一篇文

zhāng ne
章呢！

lán lan nà nín míng tiān gàn shén me a
兰兰：那您明天干什么啊？

dà shān míng tiān wǒ hé jiāng kūn yì qǐ qù shàng hǎi yǎn chū
大山：明天？我和姜昆一起去上海演出。

lán lan à zhēn de nà nín néng bāng wǒ yí ge máng ma
兰兰：啊，真的？那您能帮我一个忙吗？

dà shān　shén me shì　nǐ shuō ba
大山：什么事，你说吧！

lán lan　nín néng ràng jiāng kūn bāng wǒ qiān ge míng ma
兰兰：您能让姜昆帮我签个名吗？

dà shān　dāng rán méi wèn tí
大山：当然没问题！

Ok, let's review the dialogues now, when we are talking about asking for help.

第九课

Communicate in Chinese
It's heavy alright,

liú míng hé dà shān zài tán huà
（刘明和大山在谈话。）

lán lan　bào zhe xī guā　āi you　nǐ men liǎng ge bié liáo le
兰兰：（抱着西瓜）哎哟，你们两个别聊了！

dà shān　jiē guò xī guā　shì gòu chén de　wǒ kàn zhè zhì shǎ
大山：（接过西瓜）是够沉的，我看这至少

dĕi shí wǔ jīn wǔ liǎng
得 15 斤 5 两。

liú míng dà shān zhè guā jiù shì shí wǔ jīn wǔ liǎng
刘明：大山，这瓜就是 15 斤 5 两。

dà shān shí wǔ jīn wǔ liǎng wǒ zěn me tīng zhe zhè me ěr shú ne
大山：15 斤 5 两，我怎么听着这么耳熟呢？

liú míng dà shān nǐ kàn kan duì huà jiù míng bai le
刘明：大山，你看看对话就明白了。

lán lan dà shān shū shu duì huà lǐ de guā jiù shì zhè ge guā
兰兰：大山叔叔，对话里的瓜就是这个瓜。

dà shān jiù shì zhè ge
大山：就是这个？

Ok, let's go back then and review the dialogues now, when we are talking about weights.

第七课至第九课结束语

Well, that's all the time we have for today's lesson. In today's lesson we went over the dialogues from previous lessons. We reviewed the topic like:

xiǎo jiāng wèn lù
小江：问路。

dà shān
大山：Asking for directions.

lán lan　qǐng rén bāng máng
兰兰：请人帮忙。

dà shān
大山：Asking people to help.

liú míng　zhòng liàng
刘明：重量。

Weights and measures. We've got a brand of new lessons prepared for you next time, so make sure you don't miss it. Until then, good-bye!

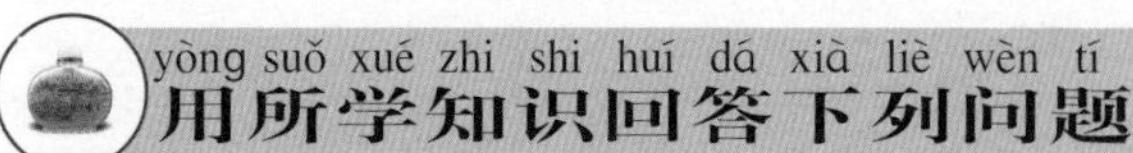
yòng suǒ xué zhi shi huí dá xià liè wèn tí
用所学知识回答下列问题

nín zuì jìn hǎo ma
1 您最近好吗？

zhè wèi shì shuí　tā jiào shén me míng zi
2 这位是谁？她叫什么名字？

nín jiā zhù zài nǎr　mén pái hào shì duō shǎo
3 您家住在哪(儿)？门牌号是多少？

nǐ měi tiān jǐ diǎn qǐ chuáng　jǐ diǎn shàng bān　shén me shí hou chī zǎo fàn　wǔ fàn hé wǎn fàn
4 你每天几点起床？几点上班？什么时候吃早饭、午饭和晚饭？

nǐ yào qù nǎr　qù lǚ yóu ma　qù duō cháng shí jiān　shén me shí hou zǒu
5 你要去哪(儿)？去旅游吗？去多长时间？什么时候走？

nín néng gào sù wǒ zěn yàng gěi cháng chéng fàn diàn dǎ diàn huà dìng fáng jiān ma
6 您能告诉我怎样给长城饭店打电话订房间吗？

qǐng wèn cóng cháng ān jiē dào xiù shuǐ jiē zěn me zǒu
7 请问从长安街到秀水街怎么走？

nǐ zài jiǎn féi ma néng miáo shù yí xià nǐ shì zěn yàng jiǎn féi de ma
8 你在减肥吗？能描述一下你是怎样减肥的吗？

qǐng yòng xià mian suǒ gěi de cí zào jù
请用下面所给的词造句

wǒ men 我们	lái de jí 来得及	jīng guò 经过
zuì jìn 最近	fàng jià 放假	jiè 借
nǎr 哪(儿)	zhōu mò 周末	bāng máng 帮忙
jiè shào 介绍	diàn huà 电话	kàn kan 看看
qǐng wèn 请问	liú yán 留言	duō shǎo jīn 多少斤
gěi 给	zuǒ 左	yán jiū 研究
zài shuō 再说	yòu 右	zhì shǎo 至少
kàn bù qīng 看不清	zǒng 总	mǎ shàng 马上
dōu 都	dōng 东	
gèng máng 更忙	nán 南	

liáo yì liáo 聊一聊

1 介绍一下儿你的老师和班里的同学。

2 说说你问路时的经历。

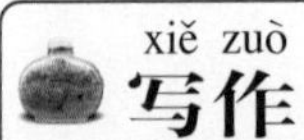

xiě zuò 写作

用所学的会话、常用语句和词汇写一段短文(50字左右)。

汉语拼音的说明

Notes on Chinese Pinyin

Letters

A a	B b	C c	D d	E e	F f	G g
H h	I i	J j	K k	L l	M m	N n
O o	P p	Q q	R r	S s	T t	U u
V v	W w	X x	Y y	Z z		

V is only used to spell foreign words, some ethnic group languages and dialects.

The hand-writing of the letters is the same as that in other languages using the Roman alphabet.

Table of Initials

	b	p	m	f	d	t	n	l
	玻	坡	摸	佛	得	特	讷	勒
pronounced as:	bo	po	mo	fo	de	te	ne	le

	g	k	h	j	q	x
	哥	科	喝	基	欺	希
pronounced as:	ge	ke	he	ji	qi	xi

zh ch sh　　r z c s

知 蚩 诗　　日 资 雌 思

pronounced as: zhi chi shi　　ri zi ci si

When spelling pinyin for Chinese characters, you can abbreviate "zh ch sh" to simply "z c s".

Table of Finals

		i	衣 yi	u	乌 wu	ü	迂 yu
a	啊 a	ia	呀 ya	ua	蛙 wa		
o	喔 wo			uo	窝 wo		
e	鹅 e	ie	耶 ye			üe	约 yue
ai	哀 ai			uai	歪 wai		
ei	欸 ei			uei	威 wei		
ao	熬 ao	iao	腰 yao				
ou	欧 ou	iou	忧 you				
an	安 an	ian	烟 yan	uan	弯 wan	üan	冤 yuan
en	恩 en	in	因 yin	uen	温 wen	ün	晕 yun
ang	昂 ang	iang	央 yang	uang	汪 wang		
eng	亨的韵母	ing	英 ying	ueng	翁 weng		
ong	轰的韵母	iong	雍 yong				

1 The final"i" only follows the seven initials"zh, ch, sh, r, z, c, s", they are spelt as: zhi, chi, shi, ri, zi, ci, si.

2 At times"er" is combined with other finals to add an"er" sound to the end of a word, this ending causes the preceding syllable to be retroflexed. "er" is simplified into a final"r" in phonetic transcription：" 儿童 "- or"children" is spelt as"ertong"," 花儿 "- or"flowers" is spelt as"huar"," 玩儿 " - or"to play" is written as"wanr", and" 哪儿 " - or"where" is spelt as"nar".

Where there is no initial for"i", they should be written as:

3 yi(衣), ya(呀), ye(耶), yao(腰), you(忧), yan(烟), yin(因), yang(央), ying(英), yong(雍).

Where there is no initial for"u", they should be written as: wu(乌), wa(蛙), wo(窝), wai(歪), wei(威), wan(弯), wen(温), wang(汪), weng(翁).

Where there is no initial for"ü", write as: yu(迂), yue(约), yuan(冤), yun(晕); the two dots on top of"ü" are eliminated.

Where"j""q""x" are combined with"ü", write as: ju, qu, xu, without the two dots. But when combined with initials n and l, the two dots shouldn't be left out, write as: nü, lü..

4 If there are initials for "iou", "uei" and "uen", write as : iu, ui, un, for instance, niu(牛), gui(归), lun(论).

5 To abbreviate in phonetic transcriptions, "ng" can be left out.

Tone Marks

Chinese is a tonal language. The four basic tones in Chinese are called first, second, third and fourth, represented by ˉ、ˊ、ˇ、ˋ tone marks respectively.

阴平	阳平	上声	去声
ˉ	ˊ	ˇ	ˋ

Tone marks are placed on top of the main vowel, no marks are necessary for neutral tones. Different toned characters mean different things.

For example:

High	First	(阴平)	(mother)	妈 mā
Mid-high	Second	(阳平)	(linen)	麻 má
Middle	Third	(上声)	(horse)	马 mǎ
Mid-low	Fourth	(去声)	(scold)	骂 mà
Low		(轻声)		吗 ma

Some syllables in China are pronounced very soft and short, called neutral tones, no tone marks are used in writing them.

For example:

tāmen (他们, they)

bàba (爸爸, dad)

Separation Mark

Where a syllable beginning with a, o, e precedes other syllables, a separation mark (') is needed before a, o, e to avoid connecting with the preceding syllable.

For example:

pi'ao (皮袄, leather coat)

词类简称表

Abbreviations

(名)	名词	míng cí	noun
(代)	代词	dài cí	pronoun
(动)	动词	dòng cí	verb
(能动)	能愿动词	néng yuàn dòng cí	modal verb
(形)	形容词	xíng róng cí	adjective
(数)	数词	shù cí	numeral
(量)	量词	liàng cí	measure word
(副)	副词	fù cí	adverb
(介)	介词	jiè cí	preposition
(连)	连词	lián cí	conjunction
(助)	助词	zhù cí	particle
	动态助词	dòng tài zhù cí	aspect particle
	结构助词	jié gòu zhù cí	structural particle
	语气助词	yǔ qì zhù cí	modal particle
(叹)	叹词	tàn cí	interjection
(象声)	象声词	xiàng shēng cí	onomatopoeia
(头)	词头	cí tóu	prefix
(尾)	词尾	cí wěi	suffix

总词汇表

Vocabulary List

第一课

Lesson One

你	(代)	you	(pron.)
好	(形)	good	(adj.)
您	(代)	you	(pron.)
我	(代)	I	(pron.)
你们	(代)	you	(plural)(pron.)
我们	(代)	we	(pron.)
很	(副)	very	(adv.)
同学	(名)	classmate	(n.)
老师	(名)	teacher	(n.)
太	(副)	too	(adv.)
忙	(形)	busy	(adj.)
经理	(名)	manager	(n.)
最近	(副)	lately, recently	(adv.)
买	(动)	buy	(v.)
方便面	(名)	instant noodles	(n.)
考试	(动、名)	exam, test	(v.&n.)
食堂	(名)	canteen, refectory	(n.)

饭	(名)	meal	(n.)
一起	(副)	together	(adv.)
走	(动)	walk	(v.)
李	(姓)	Li	(surname)
张	(姓)	Zhang	(surname)
下班		finish work	
还	(副)	yet	(adv.)
没	(副)	not	
要	(动、能愿)	want	(modal v.)
去	(动)	go	(v.)
哪儿	(代)	where	(pron.)
文件	(名)	document	(n.)
看	(动)	look	(v.)

第二课
Lesson Two

名片	(名)	business card	(n.)
退休	(动)	retire	(v. & n.)
叔叔	(名)	uncle	(n.)
谁	(代)	who	(pron.)
孙子	(名)	paternal grandson	(n.)
外孙子	(名)	maternal grandson	(n.)

介绍	(动)	introduce	(v.)
先生	(名)	mister	(n.)
女儿	(名)	daughter	(n.)
朋友	(名)	friend	(n.)
吃饭		have a meal	
高个儿	(形)	tall(person)	(adj.)
学生	(名)	student	(n.)

第三课
Lesson Three

门	(名)	gate	(n.)
室	(名)	room	(n.)
请问		excuse me	
找	(动)	looking for	
错	(形)	wrong	(adj.)
不是		not	
家	(名、量)	home	(n.& measure word)
地址	(名)	address	(n.)
住	(动)	live	(v.)
号(号码)	(名)	number	(n.)
楼	(名)	building	(n.)
两张		two(refers to tickets)	(num.)

票	(名)	ticket	(n.)
音乐会	(名)	concert	(n.)
给	(动)	give	(v.)
特棒	(形)	reallygreat	
排	(量)	row	(measure word)
近视眼	(名)	short-sighted	(adj.)
再说	(副)	anyway	(adv.)
太远了		too far	
才	(副)	only	(adv.)
最后	(副)	last	(adv.)
坐	(动)	sit	(v.)
元	(量)	yuan	(measure word)
看不清		can't see clearly	

第四课
Lesson Four

几点		what time	
坏了		oh no	
糊涂	(动)	forgetful/muddled	(adj.)
休息	(动)	rest	(v.& n.)
知道	(动)	know	(v.)
忘	(动)	forget	(v.)

机场	(名)	airport	(n.)
接	(动)	pick up	
爸爸	(名)	dad, father	(n.)
真	(副)	really	(adv.)
哎哟	(语气词)	uh-oh	(exclamatory)
忙死了		can't get any busier	
根本		at all	
不够		not enough	
都	(副)	at all, all	(adv.)
上课		attend classes	
半	(数)	half	(n.)
汉语	(名)	Chinese	(n.)
打网球		play tennis	
上网		go on the internet	
查资料		looking for information	
以后	(名)	after	(prep.)
更	(副)	more	(adv.)
更忙		busier	(adj.)
一直		all along	
酒吧	(名)	bar	(n.)
泡	(动)	hang out	

打工	(动)	work	(v.)
够	(动)	enough	(adj.)
分钟	(名、量)	minute (n. & measure word)	
来得及		there is still time	

第五课
Lesson Five

春节	(名)	Spring Festival	(n.)
星期	(名)	week	(n.)
星期几		which day of the week	
放假		holidays(given)	(n.)
上课		go to classes	
周末	(名)	weekend	(n.)
箱子	(名)	suitcase	(n.)
回国		return to home country	
呆	(动)	stay	(v.)
多长		how long	
时间	(名)	time	(n.)
时候	(名)	when	
五月	(名)	May	(n.)
周五	(名)	Friday	(n.)
对啦		That's right	

可以	(动、能愿)	can	(v. auxiliary)
打的		take a taxi	

第六课
Lesson Six

夫人	(名)	wife	(n.)
电话	(名)	telephone	(n.)
晚饭	(名)	dinner	(n.)
北京大学	(专名)	Peking University(proper n.)	
分机	(名)	extension	(n.)
请转		please put me through to	
占线		line is busy	
喂	(叹)	hello	(int.)
麻烦	(动、名)	trouble	(v. & n.)
现在	(名)	now	(adv.)
办公室	(名)	office	(n.)
留言		leave a message	
请讲		please go on	
转告	(动)	pass on the message	
回来		come back	
先	(副)	first	(adv.)
怎么	(代)	how	(pron.)

声音	(名)	sound	(n.)
拨	(动)	dial	(v.)
再	(副)	again	(adv.)
怎么回事?		What's the matter?	
忙音		busy tone	
试试	(动)	try	(v.)
干什么		doing what	
总	(副)	ever	(adv.)
不通		can't get through	
只是	(副)	only	(adv.)
电话线	(名)	phone cord	(n.)
没装		not installed	
长城饭店	(专名)	Great Wall Hotel	(proper n.)
房间	(名)	room	(n.)

第七课
Lesson Seven

书店	(名)	bookstore	(n.)
外文	(名)	foreign language	(n.)
新华	(名)	Xinhua	(proper n.)
饭店	(名)	hotel	(n.)
右	(形)	right	(adj.)

左	(形)	left	(adj.)
马路	(名)	road	(n.)
拐	(动)	turn	(v.)
市场	(名)	market	(n.)
街	(名)	street	(n.)
美国	(国名)	the United States of America	(country name)
大使馆	(名)	embassy	(n.)
之间	(名)	between	(prep.)
骑	(动)	ride	(n.)
自行车	(名)	bicycle	(n.)
地图	(名)	map	(n.)
学校	(名)	school	(n.)
南	(形)	south	(adj.)
东	(形)	east	(adj.)
东边	(名)	east side	(n.)
广场	(名)	square	(n.)
大厦	(名)	plaza	(n.)
友谊	(名)	friendship	(n.)
商店	(名)	store	(n.)
地铁	(名)	subway	(n.)
经过	(名)	pass through	

北京饭店 (专名)	Beijing Hotel (proper n.)
秀水街 (专名)	Xiushui Street (proper n.)
东方广场 (专名)	Oriental Plaza (proper n.)
赛特大厦 (专名)	Scitech Plaza (proper n.)
友谊商店 (专名)	Friendship Store (proper n.)
天安门 (专名)	Tian'anmen (proper n.)
长安街 (专名)	Chang An Avenue(proper n.)

第八课
Lesson Eight

光明公司 (专名)	Guangming Company(proper n.)
清楚 (形、动)	sure (adj.)
懂 (动)	understand (v.)
不懂	don't understand
新 (形)	new (adj.)
旧 (形)	old (adj.)
查 (动)	look up
全名 (名)	full name (n.)
不客气	that's alright.
论文 (名)	thesis (n.)
写 (动)	write (v.)
写完	finish writing

钥匙	(名)	key	(n.)
借	(动)	borrow	(v.)
问题	(名)	problem	(n.)
没问题		no problem	
修	(动)	repair	(v.)
帮	(动)	help	(v.)
帮忙	(动)	help out	
车坏了		the bicycle's broken down	
一盒		a box	
软盘	(名)	diskettes	(n.)
作业	(名)	homework	(n.)
做作业		doing homework	
文章	(名)	article, essay	(n.)
看看		have a look	
中文	(名)	Chinese	(n.)
英文	(名)	English	(n.)
明天	(名)	tomorrow	(n.)
有空(儿)		have time	
这样吧!		How about this	
好吧!		Yes, all right	

第九课
Lesson Nine

减肥	(动)	lose weight	
胖	(形)	fat	(adj.)
锻炼	(动)	exercise	(n. & v.)
瘦	(形)	thin	(adj.)
马上	(副)	right away	
放心		don't worry	
减掉	(动)	lose	(v.)
多少斤		how many jin's	
至少		at least	
研究	(动、名)	research	(v. & n.)
品种	(名)	variety	(n.)
尝尝	(动)	taste	(v. & n.)
第一次		first time	
西瓜	(名)	watermelon	(n.)
甜	(形)	sweet	(adj.)
送	(动)	give	(v.)
保证	(动)	don't worry	
肉	(名)	meat	(n.)